HIWMOR LLAFAR GWLAD

HIWMOR LLAFAR GWLAD.

GOL:

GOLYGYDD

MYRDDIN AP DAFYDD

Argraffiad cyntaf: Mai 2008

(h) Gwasg Carreg Gwalch

Rhif Llyfr Safonol Rhyngwladol:
978-1-84527-177-0

Mae'r cyhoeddwyr yn cydnabod cefnogaeth ariannol
Cyngor Llyfrau Cymru

Cynllun clawr: Sion Ilar
Cartwnau y clawr a thu mewn: Mei Mac

Argraffwyd a chyhoeddwyd gan Wasg Carreg Gwalch,
12 Iard yr Orsaf, Llanrwst, Dyffryn Conwy, LL26 0EH.
℡ 01492 642031 📠 01492 641502
✆ llyfrau@carreg-gwalch.co.uk
Lle ar y we: www.carreg-gwalch.co.uk

Cynnwys

O Enau Plant Bychain

*Mae gan blant, gyda'u dychymyg byw a diniweidrwydd onest
sy'n gallu'n syfrdanu a diddanu yr un pryd.
Fu erioed ddihareb gywirach na 'gan y gwirion y ceir y gwir'
– dyma ddetholiad o'r perlau ffraeth hynny sy'n sicr o'ch taro'n
fud!*

Cwestiwn ac ateb

Yr wyres fach yn gwylio'i nain o flaen y drych yn ymbincio.
'Pam wyt ti isio rhoi'r holl stwff yna ar dy wyneb, Nain?'
'Er mwyn gwneud fy hun i edrych yn ddel.'
'Pryd 'neith o gychwyn gweithio 'ta?'

* * *

'Wel, be ddysgist ti yn yr ysgol heddiw?' meddai'r fam ar ôl y
diwrnod cyntaf yn yr ysgol.
'Dim byd,' oedd yr ateb, *'rydw i'n gorfod mynd yn ôl fory.'*

* * *

Merch fach yn sgwennu, a'r athrawes yn gofyn ble roedd y dot
a oedd i fod uwchben yr 'i'.
Meddai'r ferch, *'Mae o'n dal i fod yn y bensel.'*

* * *

Cyn diwedd y tymor:
'Gobeithio'n wir y cewch chi wyliau braf blant, ac y dowch
yn ôl â thipyn o synnwyr yn eich pennau.'
'Run fath i chithau, Miss.'

* * *

Hogan fach yn gweld dyn mewn oed efo'i wallt yn hollol wyn ar y stryd ac yn gofyn i'w mam:
'Pwy bia'r taid yna?'

* * *

Roedd yr hogan fach yn mynd am dro efo'i nain pan ddaethant ar draws chydig o wyddau mewn cae. Yn ddwy a hanner, roedd hi'n gyfarwydd â ieir ond mi wyddai fod y rhain yn wahanol.
'Be 'di'r rhain, nain?'
'Gwydda',' atebodd nain, gan eirio'n glir.
'BE' 'DI'R RHAIN, NAIN?' gwaeddodd yr wyres fach.

* * *

Roedd yr hogan wedi bod yn ddrwg a chafodd ffrae a'i hel i'r stafell gefn. Yno yr oedd hi'n crïo pan aeth ei nain ati i geisio'i setlo.
'Tasat ti'n mynd drwodd a deud "sori", mi fasa popeth yn iawn, weldi.'
'Fedra' i ddim deud sori,' nadodd y fechan, *'– dwi'n rhy brysur yn crïo.'*

* * *

Newydd gael ei phedair oed, roedd y ferch fach yn gweld ei hun yn rhy hen i gael Mam neu Dad i ddarllen stori iddi ac roedd yn mynnu edrych ar y lluniau ei hun ac adrodd stori yn uchel wrth droi'r tudalennau.
'Dwi'n medru darllen yn iawn,' meddai wrth ei mam wrth fwynhau ei hun fel yna. *'Dwi'n medru darllen bob dim ond y llythrennau.'*

* * *

Hunan asesiad gan blentyn:
'Rydw i'n eithaf da mewn Seusnag a gwythoniaedd ond mae gen i le i wella fy sillafy.'

* * *

8

Roedd criw yn gweithio gyda'i gilydd yn Eifionydd, ac yn eu mysg roedd un hogyn braidd yn araf ei feddwl. Dyma dynnu ei goes un amser cinio:

'Sawl chwarter sydd mewn awr?' holodd un.

'Dau,' oedd ateb y bachgen.

'Sut wyt ti'n dweud hynny?'

'Wel hawdd iawn de – chwarter i a chwarter wedi!'

* * *

Y mab, pedair oed, yn holi un bore:

'Mam, pa mor hir ydi tiwb o bâst dannedd?'

Doedd y fam ddim mewn hwyl i fod yn rhy wyddonol:

'O, dwn i ddim. Mor hir â'r tiwb, am wn i.'

'Nage. Mae o yn mynd ar hyd wal y lle molchi, ar hyd wal ych stafell wely chi ac ar hyd fy stafell wely innau.'

Ac mi roedd o hefyd!

* * *

Car yn stopio ynghanol y pentref. Ffenest yn agor.

'Pa ffordd mae'r capel lle mae'r briodas?'

Ar ôl gwrando ar ei dad yn ateb a gwylio'r car yn chwyrnellu ar ei daith, dyma'r bychan yn dweud wrtho:

'Dad, dwi ddim yn meddwl y dylai pobl fynd allan os nad ydyn nhw'n gwybod lle maen nhw'n mynd.'

* * *

Plentyn arall yn cael trafferthion gyda syms tynnu i ffwrdd. Rhoddodd yr athrawes bump o bensiliau ar y bwrdd a gofyn:

'Rŵan 'ta, mae gen i bum pensil ar y bwrdd. Os tynna' i bum pensil oddi yno, beth fydd ar ôl?'

Atebodd y bachgen ar ôl peth petruster – *'y bwrdd?'*!

* * *

Holodd yr athro:

'Pwy ohonoch chi sy'n byw ar fferm?'

Cododd Megan ei llaw.

'S'gynnoch chi wydda' acw, Megan?' gofynnodd wedyn.

'Oes bosib *gordro* un ar gyfer y Dolig o 'cw 'ta?' holodd ymhellach.

'Ew, nac oes,' meddai hitha'n gwbl bendant, *'dydan ni ddim yn godro gwydda' wyddoch chi, Syr, dim ond gwartheg!'*

* * *

Athrawes yn holi un oedd yn dipyn o gymeriad ynghylch beth yr oedd o'n mynd i'w wneud wedi iddo dyfu.

'Wel,' meddai'r bychan, 'rydw i'n mynd i ffermio efo Delyth (ei gariad!) yn Llanuwchllyn ac rydw i'n mynd i gadw garej efo Taid yng Nghorwen.'

'Fedri di ddim gwneud hynny,' meddai'r athrawes, 'neu mi fydd yr hwch wedi mynd drwy'r siop cyn pen dim.'

'Aha,' meddai'r bychan drachefn, *'wneith hynny ddim digwydd, achos mae Dad wedi gwerthu'r moch i gyd ddoe!'*

* * *

Plentyn bach chwech oed yn mynd at yr athrawes.

'Gyno fi sgidia newydd, Miss.'

Atebodd yr athrawes gan geisio cywiro ychydig ar y mynegiant:

'Mae gen i sgidiau newydd.'

'A finna hefyd, Miss!'

* * *

Plentyn yn troi at ei athrawes i holi am addysg gorfforol/ymarfer corff, a gofyn iddi:

'Miss, pryd rydan ni'n mynd i gael y wers lladdfa corff?'

* * *

Cafodd merch fach o Gricieth gefnder newydd sbon o'r enw Llewelyn. Pan oedd Llew yn fis oed gofynnodd mam y ferch fach iddi os oedd ganddi awydd mynd ag anrheg iddo y diwrnod hwnnw. 'Oes' oedd yr ateb ac ar ôl pacio'r anrheg a 'sgwennu'n ofalus yn y cerdyn, dyma neidio i'r car a'i chychwyn hi am dŷ y babi newydd.

Wrth i'r car arafu y tu allan i gartref Llew, holodd y ferch fach yn eiddgar: *'Yn fa'ma mae Teigar yn byw, ia Mam?'*

* * *

Roedd yr athro yn rhoi gwers ddaearyddiaeth i'r plant pan gerddodd yr arolygwr i mewn. Gan dybio ei fod yn glyfar, newidiodd yr athro destun ei wers gan gyflwyno'r un wers a'r wythnos flaenorol, gan ddisgwyl cael ymateb gwell gan y plant. Mwynau oedd testun honno.

'Pwy fedr enwi un mwyn rydan ni'n cloddio amdano yn y ddaear?' holodd yr athro.

Distawrwydd llethol.

'Un mwyn?' yn fwy taer.

Pawb yn fud.

Cododd yr athro ei law chwith a dechrau chwarae efo'i fodrwy er mwyn ceisio deffro cof y plant.

'Syr!' meddai un o'r diwedd.

'Ie!' yn awchus.

'Aur!'

'Da iawn. Wyt ti'n gwybod am un arall?' Roedd yr athro yn farus erbyn hyn.

'Ydw! Thus-a-myrr.'

Hen ben ar sgwydda ifanc

'Dad, pan fydd fy llaw i'n fwy na dy law di, mi wna' i dy helpu di i groesi'r ffordd bryd hynny.'

* * *

Athro Cemeg yn cyflwyno gwers i'r plant gan geisio dangos pa mor gryf oedd asidiau amrywiol.

'Rydw i am ollwng y darn 50c yma i'r asid. Fedrwch chi ddweud wrthyf beth sy'n mynd i ddigwydd iddo? Wnaiff o doddi?'

'Na wnaiff, Syr.'

'Pam ydych chi'n dweud hynny?'

A dyma'r ergyd gan un wàg yn y cefn, *'Achos os basa fo'n debyg o doddi, fasech chi ddim wedi ei roi i mewn yn y lle cynta!'*

* * *

Criw o blant mewn ysgol wedi bod yn blant drwg – wedi torri ffenest wrth chwarae pêl-droed, a neb yn fodlon cyfaddef pwy oedd wedi troseddu. Dyma'r athrawes yn dweud na fyddai hi'n dwrdio, dim ond iddi gael gwybod pwy oedd yn gyfrifol.

Sut bynnag, doedd neb am gyfaddef. A dyma'r athrawes yn dweud, 'O'r gora 'ta, rydw i am adael papur a phensil ar fy nesg dros yr awr ginio, fel y medr pwy bynnag sydd wedi malu'r ffenest sgwennu ei enw ar y papur. Rydw i'n addo i chi na fydd 'na ddim helynt.'

Daeth yr athrawes yn ôl at ei desg ar ôl cinio, ac estyn am y papur. Ac arno roedd y geiriau – *'FI NATH'*!

* * *

Anfonwyd plentyn at y prifathro am ei fod yn rhegi. Gofynnwyd i'r plentyn ail-ddweud y geiriau drwg.

'Fedra' i ddim dweud y geiriau wrthoch chi,' meddai'r bychan, *'ond os y dywedwch chi ychydig o eiriau wrthyf – mi ddweda' i wrthoch chi pa rai oeddan nhw.'*

* * *

Bu farw un o neiniau'r plant – mam y tad – ac ar ôl torri'r newydd iddynt, dyma'r mab pedair oed yn dweud:

'Wel, mi fydd yn rhaid i Nain Tyddyn fod yn fam i Dad rŵan hefyd, yn bydd?'

* * *

12

Roedd y rhieni wedi mynd â'i ferch fach i'r fynwent i weld lle'r oedd taid wedi'i gladdu ac yn ceisio'u gorau glas i esbonio'r hyn oedd wedi digwydd. Wrth edrych ar y bedd, cwestiwn y ferch oedd:

'Pam nad ydyn nhw'n gadael i Taid ddod o fanna 'ta?'

Rhagor o esbonio a cheisio rhesymu ond wrth adael y fynwent dyma'r eneth yn sylwi ar hen ddyn mewn cadair olwyn yn mynd allan drwy'r giât o'i blaen.

'*Ylwch,*' meddai hi. '*Maen nhw'n gadael i'r taid yna fynd o'ma.*'

* * *

Roedd teulu arall wedi bod wrth yr un gorchwyl ac yn ceisio cysuro'r plentyn:

'Mi fydd Iesu Grist yn dŵad i'w nôl o o'r bedd 'sdi.'

Wrth adael, dyma nhw'n pasio hen gist-fedd oedd â'i hochrau wedi dymchwel ers tro. Sylw'r plentyn bach oedd:

'*Mae'n rhaid bod Iesu Grist wedi bod yn nôl hwnna'n barod.*'

* * *

Un o weithwyr y Cyngor Sir oedd yn arw am frolio'i hun, yn gweithio yn Llanllyfni.

Mi ddaeth yna rhyw hogyn bach ato fo a gofyn be oedd o'n ei wneud.

'O. Codi wal. Ond mi fedra' i wneud rwbath wsti.'

'Rwbath?'

'Medra' 'tad.'

'*Fedrwch chi ddodwy ŵy?*'

My England is not very good

Yn yr hen amser, pan fyddai'r Saesneg yn teyrnasu yn ysgolion Meirionnydd, fe holai'r prifathro am absenoldeb un o'r plant. Byddai hwn yn colli'n gyson. Yr un ateb a gawsai'r prifathro bob tro i'r cwestiwn:

'*Why have you been absent, boy?*'
'*Headache and a pound, Syr!*' – (Cur pen a phwys.)

* * *

'*Can you give me an example of an amphibious animal?*'
'*Bastad mul, Syr.*'

* * *

Disgybl arall yn sgwennu yn ei ddyddiadur:
'*I am going to a tea party on Thirst-day.*'

* * *

'*What causes the waves to rise so high?*'
'*Penwaig, Syr.*'

* * *

'Be ydi *How* yn Gymraeg?'
'Tŷ, Syr.'
'O, nage, *House* ydi tŷ. Be ydi *How*?'
'*Wel, tŷ bach 'ta?*'

* * *

'*What is the meaning of this sentence:*
"*Away went the master with Claus at his heels.*"
'*Yes, you over there, boy?*'
'*Ffwrdd â Mistar a'i glos am ei sodlau.*'

* * *

14

'What is "rushlight"?'
'Mellten.'

* * *

'What is the feminine of "duck"?'
'Duchess.'

* * *

Mam ifanc a'i mab bedair oed yn mynd i weld ei mam/nain ym Mhencaenewydd, Eifionydd, a thra oedd y nain a'r fam yn sgwrsio, gwrandawai'r mab yn astud. Yn y sgwrs, soniodd y nain am noson dda yn y gymdeithas leol ac mor drefnus oedd un o'r gwragedd lleol wedi trefnu pob dim yn hwylus, a dyma hi'n dweud:

'Ew ma' Anti Kathleen yn drefnus ofnadwy, i ddweud y gwir ma' hi'n *bôrn lider.*'

Ar y ffordd adref yn y car, dyma'r mab yn holi ei fam yn seriws, **'Wyddwn i ddim fod Anti Kathleen yn fôr leidr.'**

* * *

Roedd plentyn wrthi'n canu un o ganeuon poblogaidd Wet, Wet, Wet, ond pan ddaeth at y geiriau:
'Love is in my finger,
Love is in my toes . . . '
yr hyn a ganai oedd:
'Love is in my finger,
Love is in my trôns . . . '

* * *

Gwers lafar yn y dosbarth – hoff a chas bethau.
Owain: Dydw i ddim yn hoffi gweld dyn a'i wallt wedi marw.
Athrawes: Beth wyt ti'n feddwl?
Owain: Wel . . . mi welais i ddyn yn y stryd ddoe ac roedd o wedi marw ei wallt yn felyn, felyn.
Fflach i feddwl yr athrawes . . . *dyed hair* – gwallt wedi marw!

* * *

Plentyn bach yn gofyn i athro beth oedd 'cyrraedd' yn Saesneg.
'*Arrive,*' meddai'r athro.
Ymhen sbelan cafodd y frawddeg hon yng ngwaith y plentyn,
'*Can you arrive the tin of peas on the top shelf please?!*'

* * *

Bûm i mewn ysgol gynradd yn ardal Dolgellau yn ddiweddar, lle dangosodd yr athrawes waith Saesneg y Cymry Cymraeg naturiol, lleol. Dyma ddyfyniad o stori gan un hogyn:
'*Look out, there's a ghost,*' *he bloedded!*

* * *

Nôl yn y dyddiau unieithog, aeth plentyn bach i siop y pentref dros ei fam – a honno newydd ei phrynu gan Saeson yr un mor uniaith. Erbyn cyrraedd y siop, roedd y bychan wedi anghofio sut i ofyn am ei neges yn Saesneg.
Cynigiodd y siopwraig amyneddgar bron bopeth ar ei silffoedd iddo, ond ysgwyd ei ben a wnâi i bopeth.
Yn y diwedd, llwyddodd i'w berswadio i ddweud y gair yn y Gymraeg wrthi ac wedyn mi wnâi hithau ei gorau i geisio dyfalu beth oedd ei neges.
Ac meddai'r bachgen, mewn llond pen o Gymraeg gloyw:
'*Braso.*'

* * *

Plentyn bach mewn ysgol ym Mhen Llŷn yn cael gwers Saesneg a chyfarwyddyd i sgwennu am *a cat with a red ball.* Ymhen sbel aeth yr athrawes o gwmpas y plant ac mi welodd fod un o'r merched wedi tynnu llun ystlum. Anwybyddodd yr athrawes ddiflaniad y gath a gofynnodd i'r ferch fach:
'*Where's the red ball?*'
A dyma'r ferch yn pwyntio at fol yr ystlum, a oedd wedi ei liwio'n goch ganddi,
'*Here is the red bol, Miss.*'

* * *

Criw arall o blant ifanc yn dysgu Saesneg a'r athrawes wrthi'n rhestru geiriau oedd yn gorffen gyda'r sŵn *et*, a dyma restru *'met'*, *'pet'*, *'let'* ac ati. Yna cafodd y plantos siars i sgwennu brawddegau gyda geiriau oedd yn diweddu gyda'r un sŵn. Dyma gafwyd gan un ohonyn nhw.

'I have got a het, ac I sit on my set.' [sêt]

* * *

Plentyn o gefndir amaethyddol, go ansicr ei Saesneg, yn darllen papur arholiad mewn ysgol uwchradd. Dyma oedd ar y papur: *'Draw a chart to illustrate your answer'*. A'r hyn a wnaeth y plentyn oedd tynnu llun cert.

* * *

Athro wrthi'n adolygu cyn anfon y plant adref i wneud eu gwaith cartref.

'Pwy fedr ddweud beth ydi ystyr y gair *"widow"*?'

Cododd Cymro bach yng nghefn y dosbarth ei law; a doedd o ddim yn ateb yn aml. Yn naturiol, fo gafodd y cynnig cyntaf i ateb.

'Dwi'n gwybod beth ydi "widow" – dyn sy'n llnau ffenestri siŵr.'

* * *

Athrawes yn mynd â chriw o fabanod i fynwent eglwys Llanfaglan. Pawb wrthi'n brysur yn darllen y cerrig beddau. Gwaedd ymhen y rhawg:

'Miss, Miss. Ma 'na Susnag yn fa'ma!'

'Ys gwn i pam y cafodd y garreg ei sgrifennu'n Saesneg?' gofynnodd yr athrawes.

'Dwi'n gwbod Miss – ar gyfer fusutors!'

* * *

Arolygydd Ysgolion yn mynd i ysgol gynradd wledig yn yr hen Sir Feirionnydd ers talwm ac yn mynd ati i brofi gallu'r plant i siarad Saesneg. Gofynnodd i Robin, bachgen 6 oed, a oedd yn gwybod ble roedd fferm Hafod y Wern?

'Gwn, Syr,' meddai Robin yn dalog.

'Rŵan 'ta,' meddai'r Arolygydd, 'mae gen i isio i ti ddychmygu mai Sais uniaith ydw i, ac mi rydw i'n dy stopio di y tu allan i'r ysgol 'ma ac yn gofyn i ti ddweud wrtha' i, yn Saesneg, sut mae mynd i Hafod y Wern?'

Bu distawrwydd llethol am eiliad neu ddau. 'Wel,' meddai'r Arolygydd, 'Wyt ti am ddweud wrtha' i?'

Yna, mae Rhys, ffrind Robin, sy'n eistedd wrth ei ochr yn troi ato ac yn sibrwd yn uchel, *'Deud wrtho fo yr ei di hefo fo yn y car!'*

* * *

Roedd un hogyn yn grwgnach yn arw ei fod yn gorfod dysgu Saesneg yn yr ysgol.

'Ond dydi Susnag yn dda i ddim byd i fi,' oedd ei ddadl.

Ceisiodd yr athro awgrymu nad felly oedd hi, a gofynnodd iddo feddwl am un achlysur mewn bywyd, dim ond un, lle y buasai defnydd o'r Saesneg yn fanteisiol iddo.

Crafodd y bychan ei ben am dipyn ac meddai toc:

'Pwll nofio Glan Gwna!'

Erbyn deall roedd hogia'r ardal yn sleifio i mewn i barc carafanau Glan Gwna dros y wal ac yn deifio i mewn i bwll nofio'r fusutors. Pan fyddai dyn y drol yn dod heibio, mi fyddai'n medru dallt ar unwaith pwy oedd y rabscaliwns lleol am eu bod yn gweiddi yn y Gymraeg ar ei gilydd. Mi fyddai hwnnw'n siŵr o hel y tresmaswyr o'i gamp. Er mwyn cael dipyn o gamofflâj roedd y Cofis bach wedi dechrau siarad Saesneg efo'i gilydd bob tro y deuai rhywun swyddogol i'r golwg ac felly'n gallu aros yn hirach ym mhwll nofio'r Saeson!

Y Corff

'Pan 'dach chi'n fabi, mae'ch mam yn rhoi bwyd i chi hefo'i brest!' meddai Megan, merch fach 4 oed.

'Ond dim ond llefrith fedar hi neud!'

* * *

18

Roedd y fam yn disgwyl plentyn arall ac fe ddaeth yn amser ceisio paratoi'r ferch bump oed i fod yn barod ar gyfer yr enedigaeth. Dyma fynd ati'n drylwyr dros ben gan esbonio bod gan y fam wyau y tu mewn iddi a phopeth.

Ychydig wedi hynny, cafodd yr eneth godwm cas.

'Wyt ti'n iawn?' holodd y fam yn bryderus.

'Ydw,' atebodd hithau. Yna, gan deimlo ei stumog ychwanegodd, *'ond dwi'n meddwl bod un o fy wyau i wedi cracio'*!

* * *

Yn ystod yr ha' poeth, roedd un hogyn bach wedi dal yr haul, wedi llosgi'i groen ac ymhen dipyn roedd hwnnw wedi dechrau plicio.

'Edrych!' meddai, *'dydw i ddim ond chwech oed ac mi rydw i'n gwisgo yn dyllau yn barod!'*

* * *

Roedd Yncl Jac yn gorfod mynd i'r ysbyty am lawdriniaeth a dyma'r nai yn holi beth oedd yn bod arno fo.

'Mae o isio cael gwared â'r cerrig yn ei aren o,' oedd yr ateb.

Ychydig wedyn dyma rywun yn ei holi sut oedd ei ewythr ar ôl iddo ddod adref ac meddai'r bychan:

'O, mae o wedi colli'i gerrig.'

* * *

Bachgen bach ar y stryd yn chwarae pêl ac yn crio. Y gweinidog newydd yn dod ato a gofyn pam 'i fod yn crio.

'Dad a Mam sy'n ffraeo.'

'O,' meddai'r gweinidog, 'dywed i mi – pwy ydi dy dad hefyd?'

'Dyna pam eu bod nhw'n ffraeo!'

* * *

Mam a'i mab yn gyrru heibio'r amlosgfa ym Mangor, a'r bychan yn holi beth oedd yn digwydd yn y fath le. Dyma'r fam yn mynd ati i gynnig esboniad gan ddweud eu bod nhw'n llosgi cyrff yno ac mai dyna oedd y mwg a ddoi allan o'r simdde.

'Fedran nhw mo'n llosgi fi,' meddai'r bychan, 'dwi'n cael asthma!'

* * *

Gofynnodd y mab i'w fam pa adeg o'r diwrnod y cafodd ei eni.

'Chwarter i ddau yn y bore.'

'Gobeithio na wnes i dy ddeffro di,' meddai.

* * *

Daeth y mab (oedd newydd ddod allan o'i glytiau) yn ôl at ei rieni ar ôl bod am grwydr bach mewn siop ddodrefn a theils.

'Mam,' meddai, yn falch ohono'i hun, 'dwi wedi cael hyd i'r toilet fy hun, ond doedd 'na ddim papur yno.'

Fawr o ryfedd. Doedd o ddim wedi'i blymio chwaith.

* * *

Roedd criw o blant yn chwarae'n noeth ar y traeth.

Meddai un hogan fach wrth hogyn bach:

'Ga' i 'i dwtsiad o?'

'Argol, na chei. Mi rwyt ti wedi torri un chdi dy hun yn barod!'

* * *

Roedd hogyn tua'r wyth oed 'ma wrth ei fodd yn helpu'i dad ar y fferm. Bob tro y byddai buwch yn clafychu ac yn paratoi i fwrw'i llo, y bachgen oedd yn cael ei adael yn y beudy i'w gwylio. Weithiau, byddai'r enedigaeth yn digwydd yn naturiol a didrafferth a byddai'r bachgen yno am oriau'n dotio at y fuwch a'r llo. Dro arall, byddai'n rhaid galw ar y tad neu am y ffariar, ac unwaith eto byddai'r hogyn yn bresennol, yn gwylio'r holl weithgareddau gyda diddordeb mawr.

Yna, aeth ei fam i'r ysbyty famolaeth. Ymhen dipyn, dyma alwad yn dweud ei bod wedi cael babi – mab bychan. Pan oedd y fam ar y ffôn, mi alwyd y bachgen i gael gair gyda hi.

"Sgen ti rwbath i'w ddeud wrth dy fam? Mae hi newydd roi genedigaeth i frawd bach i ti.'

'Oes,' meddai yntau gan afael yn y derbynydd. Dyma fo'n llyncu'i boeri a sgwario a gofyn: *Sut flas oedd arno fo pan wnest ti 'i lyfu o?'*

Nadolig, Nadolig

Bachgen bach yn gwrando ar gôr yr ysgol yn canu *Gloria in Excelsis*. Aeth at ei athrawes a dweud:

'Miss, dwi'n gwybod pwy ydi Joseff a Mair – ond pwy ydi Gloria?'

* * *

'Bechod am Iesu Grist,' meddai'r fechan, ar ôl bod yn ymarfer Drama'r Geni.

'Dim lle yn y llety wyt ti'n ei feddwl?' holodd ei mam.

'Nage – mae o'n sâl,' atebodd hithau.

'Be' ti'n feddwl?'

'Wel – annwyd mewn preseb, ynte.'

* * *

Roedd y ferch yn ymarfer ar gyfer y sioe Nadolig ac yn mynd dros geiriau'r garol gyda'i mam.

'Y sêr oedd yn syllu

Ar dlws faban Mair . . . '

oedd yn y llyfr ond roedd y ferch yn eithaf hyderus a ddim ond yn taflu ambell gip ar y geiriau. Yr hyn ddwedodd hi oedd:

'Y sêr oedd yn syllu

Ar dŵls faban Mair . . . '

* * *

Athrawes wrthi'n dweud hanes geni Iesu Grist ac yn crybwyll mai mewn stabal y digwyddodd hynny. Esboniodd mai rhywbeth yn debyg i 'sied' oedd stabal.

Nawr roedd un o'r plantos yn gyfarwydd â sied ei daid ac wedi bod yn dyst i enedigaeth sawl oen yn y lle hwnnw. A'i gwestiwn i'w athrawes oedd, *'Pwy tynnodd o, Miss?'*

* * *

Athrawes eto gyda'r babanod – wedi bod yn adrodd stori Dewi Sant iddynt. Roedd y plant yn amlwg wedi ymgolli'n llwyr yn yr hanesyn. Cafodd gymaint o effaith ar un hen foi bach – y bore canlynol daeth at yr athrawes –
    'Wyddoch chi be Mrs Rowlands – dim ond tri cysgu eto nes y daw Dewi Sant!'
    Mae'n amlwg ei bod yn Ddolig rownd y flwyddyn yn ymyl Bontnewydd!

* * *

Athrawes mewn ysgol yn Sir Fôn yn holi'r plant am ŵyl y Nadolig. Roedd y mwyafrif yn cofio'r hanes ond roedd un bachgen bach breuddwydiol yn gadael i bawb arall wneud yr holl waith ateb.
    'Rŵan 'ta, John,' meddai'r athrawes, 'rydw i'n siŵr dy fod ti'n cofio'r ateb. Pa ddiwrnod gafodd Iesu Grist ei eni?'
    A dyna lle roedd John yn edrych yn wag ar ei athrawes cyn ymateb:
    'Wel, dwi ddim yn siŵr, ond dwi'n meddwl mai . . . dydd Mawrth oedd hi!'

* * *

Plentyn bach arall o ganol Sir Fôn yn gwrando ar ei athrawes yn adrodd hanes y Geni, gan ddweud nad oedd gan Iesu Grist grud heblaw am breseb yr anifail. Yn gwbl ddigymell, dyma fo'n dweud:
    'Os oedd tad Iesu Grist yn saer, dwi'n methu deall pam na fasa fo wedi gwneud cot iddo fo!'

* * *

Roedd hogyn wedi tynnu llun Mair a Joseff a'r preseb yn y stabal. Daeth yr athrawes ato a dechrau ei holi am gynnwys y llun: 'Be ydi hwn gen ti, a be ydi'r llall.'

Yntau'n ateb 'bugeiliaid', 'Joseff', 'doethion' a 'Mair' yn ôl y gofyn.

Gwelodd yr athrawes fod yna rhyw batrwm bach yn y preseb, a dyma hi'n dweud:

'Be s'gen ti yn y preseb?'

'Iorwerth,' meddai'r bychan.

'Be ti'n feddwl, "Iorwerth"?'

'Iorwerth mewn preseb, 'de Miss!'

* * *

Athro yn gofyn i ddosbarth rhyw dro beth oedd ystyr 'diwrnod dyrnu'.

Dyma'r ateb yn ôl mewn fflach gan un bachgen:

'Boxing day, Syr.'

* * *

Gofynnodd llawer o bobl i hogyn bach beth oedd o'n mynd i'w gael i'w fwyta i ginio diwrnod Dolig ac yntau'n ateb yr un fath bob tro:

'Cwrci'.

* * *

Dosbarth y babanod yn canu gydag arddeliad mewn cyngerdd Nadolig:

'Bethlehem, Bethlehem, Bethlehem
Pwy sydd heb letys?
Bethlehem, Bethlehem, Bethlehem,
Joseff a Mair.' (!)

* * *

Bachgen bach yn chwarae pêl a gweiddi,

'Iesu Grist yn byw mewn stabal, Iesu Grist yn byw mewn stabal . . . '

Gweinidog yn mynd heibio ac yn gofyn iddo:

'Pam fod Iesu Grist yn byw mewn stabal 'y machgen i?'

'Yr hen Saeson ma'n prynu tai, yr hen Saeson ma'n prynu tai.'

Straeon am Siôn Corn

Plentyn yn ymweld â Siôn Corn ym Mhortmeirion a hwnnw'n siarad efo acen y De.

'*Mam*,' meddai'r bychan pan ddaeth o'n ôl at ei fam, '*mae Santa'n siarad fel pobol Pobol y Cwm!*'

* * *

Ffair Nadolig yn ardal Ffestiniog a Siôn Corn yn holi beth oedd enw'r bachgen.

'Dyfed William Jones,' meddai'r bachgen.

'Na,' meddai Santa, 'mi wn i mai Gethin ydy dy enw di.'

Meddai'r bachgen, '*Ac mi wn innau mai Elfed Bwtsiar ydy dy enw dithau hefyd!*'

* * *

'A beth faset ti'n ei hoffi gael yn anrheg Nadolig?' oedd cwestiwn Siôn Corn.

'Ceffyl,' meddai'r bychan.

'Sut fath o geffyl? Faset ti'n hoffi cael ceffyl pren?'

'Na, nid ceffyl pren.'

'Wel beth am geffyl siglo? Ai ceffyl siglo wyt ti am ei gael?'

'Na, nid ceffyl siglo.'

'Wel, sut fath o geffyl wyt ti eisiau?'

'*Ceffyl sy'n cachu!*'

* * *

Plentyn bach ar lin Siôn Corn yn y parti Nadolig.

Meddai Santa wrtho, 'A beth faset ti'n hoffi ei gael y Dolig yma?'

'Tostar!' meddai'r bychan.

A dyma Santa'n holi ymhellach. 'Wyt ti am gael unrhyw beth arall i fynd efo'r tostar?'

Atebodd y bychan yn gwbl ddidaro, *'Bara!'*

Dychymyg byw

Pan welodd y fechan lond pwll o bysgod aur am y tro cyntaf yn un o erddi'r plasau mawr ar ei gwyliau, dyma hi'n galw ar y gweddill:

'Dewch i weld yr holl foron sy' 'na yn y dŵr 'ma!'

* * *

Merch yn adran y babanod wedi poitsio'i dillad.

'Wel sut ar y ddaear wnest ti hynna?' holodd yr athrawes.

'Wedi colli'r hen barseli bwyd bach 'na dwi,' eglurodd y ferch. (Roedd hi wedi cael *ravioli* i ginio.)

* * *

'Mae'n rhaid i bobol wedi marw gael c'nebrwng,' meddai merch fach bump oed, *'er mwyn i Iesu Grist weld eu bod nhw'n dŵad.'*

* * *

Carys, yn ferch fach, yn gwrando ar yr athrawes yn adrodd stori: ' . . . heddiw, 'dan ni'n mynd i wlad y tylwyth teg . . . '

Cododd Carys; mynd allan gan ddod yn ôl wedi gwisgo'i chôt yn barod i fynd yno!

* * *

Cofi bach yn gweld ymwelydd â'r ysgol oedd wedi'i wisgo'n drwsiadus mewn coler a thei. Ei sylw oedd:

'Pam wyt ti wedi gwisgo fel ditectif?'

* * *

'Rŵan 'te,' meddai'r athrawes mewn gwers fathemateg, 'mi fydd rhaid i chi fod ar flaenau eich traed i gael hon.' A dyma'r dosbarth i gyd yn codi ar eu traed.

* * *

Doedd y bychan erioed wedi gweld sosej rôl cyn iddo ddechrau mynd i'r ysgol a phan ofynnodd ei fam iddo yn gynnar yn y tymor beth oedd wedi'i gael i ginio, dyma'i ffordd o geisio'i disgrifio:
 '*Wel, sosej ynde, efo fatha rhyw fandej rownd hi.*'

* * *

Roedd y ferch fach yn dioddef gan boenau yn ei stumog ac roedd hi'n igian fel tae hi am chwydu.
 'Be sy'n bod arnat ti?' gofynnodd y fam.
 '*Mae 'na bysgodyn yn fy mol i yn trio dod allan.*'

* * *

Roedd y bychan yn y stafell molchi efo'i fodryb a hithau wedi noethi at ei hanner ac yn molchi yn y sinc. Rhyfeddai yntau at y bronnau oedd yn hongian i lawr ochr y sinc a chyffyrddodd ag un ohonyn nhw efo blaen ei fys.
 'Cheeky!' meddai ei fodryb yn ddireidus ac ailwisgo'i bra.
 Ddyddiau yn ddiweddarach roedd y plentyn adref yn gwylio'i fam yn rhoi trefn ar y fasged ddillad. Yng nghanol y dilladach roedd bra.
 '*Yli, Mam,*' meddai yntau. '*Bag cheeky!*'

* * *

Roedd un o athrawon cynradd y dre wedi rhoi cyfres o wersi hanes gan esbonio pwy oedd yn byw yn y gaer Geltaidd yn Twtil, y gaer Rufeinig yn Segontiwm a'r castell ar y cei. Ar ddechrau gwers newydd, dyma hi'n adolygu tipyn cyn bwrw iddi ymhellach.
 'Pwy gododd y castell ar y cei?'
 'Y Normaniaid.'

'Da iawn. Pwy oedd yma cyn y rheiny 'ta – yn Segontiwm?'
'Y Rhufeiniaid.'
'A phwy oedd yma yng Nghaernarfon cyn y Rhufeiniaid?'
Distawrwydd llethol.
'Mi ro' i gliw ichi – mae'u henw nhw'n cychwyn gyda "C".'
Un llaw i fyny fel siot.
'Ia?'
'Cofis, Miss.'

* * *

Roedd y bychan wedi bod yn aros gyda'i daid a'i nain ac wedi arfer cael pethau ychydig yn wahanol, ac felly'n dipyn o lond llaw erbyn y daeth yn ei ôl adref.

'Isio brachdan glec,' meddai wrth y bwrdd amser te.

Cynigiodd ei fam fara menyn iddo ond doedd dim yn tycio.

'Isio brachdan GLEC!' pwysleisiodd.

Cynnig crîm cracyr wedyn a Ryvita a Rusks a phob dim, ond doedd dim byd yn plesio. Ffonio nain a taid yn y diwedd a chael ar ddallt mai *tost* oedd *'brachdan glec'*.

* * *

Roedd trip o un o ysgolion cynradd Caernarfon yn mynd i weld Claddfa Bryn-celli-ddu yn Ynys Môn. Cafodd y plant eu cyflwyno i hanes yr hen feddau cyntefig yn yr ysgol y diwrnod cyn y trip ac ar ddiwedd y wers, atgoffodd yr athro hwy am bres at y bws:

'Cofiwch geisio dod â chyfraniad at y gost,' meddai.

'Co, Ghost! Oes 'na ghost yn y beddau 'ma?' oedd ebychiad un o'r Cofis.

* * *

Bachgen arall yn troi at athro ar fore oer, rhewllyd gan ddweud:

'Mae hi wedi ymffrostio, Syr.'

* * *

Athrawes yn dysgu dosbarth o blant i ganu 'Cân Hosanna' ac roedd un plentyn yn dal i ganu wrth adael y dosbarth. Sylweddolodd fod ganddo ei fersiwn ei hun o'r geiriau:

'Cân Lasania!'

* * *

'Rydan ni am fynd i'r Bala i ddilyn ôl troed Mari Jones yfory,' meddai'r brifathrawes. 'A chofgolofn pwy welwn ni? Beth oedd enw'r dyn werthodd Feibl iddi hi?'

'Prins Charles!'

* * *

'Mae'n Ddydd Gŵyl Dewi 'fory. Beth ydach chi am ei wisgo i ddod i'r ysgol 'fory?'

'Nionyn picl!'

* * *

Yr oedd gŵr wedi mynd â'i blentyn am dro ar hyd glan afon. Daeth ffrind i'w blentyn gyda hwy.

'Yli,' meddai'r ffrind, *'swan.'*

'Gwranda rŵan, alarch ydi *swan* yn Gymraeg,' meddai tad y plentyn.

Ychydig ymhellach ar hyd yr afon, meddai'r bychan:

'Yli, harlach.'

* * *

'Mae 'mhen-blwydd i fory, Miss, ac mae Mam yn mynd i brynu oriawr newydd i mi.'

'Wel, dyna lwcus. Sut un wyt ti'n mynd i gael? Mae 'na bob math i'w cael heddiw 'ndoes?'

'Dydw i ddim eisiau un hefo wyneb mawr, a dydw i ddim yn hoffi rheina hefo bysedd arnyn nhw. Mae Mam wedi gaddo prynu un genital *i mi!'*

* * *

Bachgen bach yn cael trafferth i ynganu 'll'. Yn lle hynny byddai'n ynganu 'ch' o hyd. Bob hyn a hyn, pan fyddai'n cael trafferthion gyda'i waith, byddai'n mynd at ei athro gan ddweud, *'Dydw i ddim yn gachu!'*

* * *

'Rydan ni'n mynd ar ein gwyliau, Miss.'
   'Wel, neis iawn wir. I ble rydach chi'n mynd!'
   'I Bali.'
   'Bali. Wel, dyna be ydi gwyliau. 'Dwyt ti'n lwcus?'
   'Ydw . . . ac mi rydan ni'n mynd â'r garafan efo ni . . . '
(Wedi holi ychydig mwy, darganfu'r athrawes mai i'r Bala yr oedd y teulu bach am fynd ar eu gwyliau!)

* * *

Plentyn yn genfigennus iawn o'i frawd mawr a oedd yn cael aros allan yn hwyr un noson er mwyn mynd i'r pictiwrs. Roedd o'n sgwennu yn ei 'Lyfr Newyddion',
   ' . . . Mae Rhys yn cael mynd i'r pictiwrs ac mae o'n cael aros i lawr nes 'daw o yn ei ôl!'

* * *

Roedd y stŵr arferol i'w glywed o'r gegin pan ddaeth y pennaeth i mewn. Plethodd ei ddwylo wrth i bawb ymdawelu, a dywedodd:
   'Rŵan, 'ta, mi gaiff pawb eistedd yn llonydd a bwyta'i ginio – a does neb i agor ei geg.'

* * *

Plentyn bach yn cyfarfod ei fam y tu allan i'r ysgol ar ôl ei ddiwrnod cyntaf yno. Ymhen sbel fach fe ddaeth y prifathro i'r golwg. *'Edrycha,'* meddai'r bychan wrth ei fam, *'hwnna ydi'r headmonster!'*

* * *

Athrawes babanod yn ardal Caernarfon yn dysgu 'Dacw Mam yn dŵad' i'r plantos. Roedd un ohonynt yn cael peth trafferth hefo'r linell – 'rhywbeth yn ei ffedog a phiser ar ei phen'. Dyma fo'n dweud wrth yr athrawes – *'Miss, dydw i ddim yn deall sut roedd y fam yn gallu cario* freezer *ar ei phen?'*

Ateb plaen

Dyna ichi'r ferch fach (4½ oed) honno oedd newydd gael ei gwers ymarfer corff gyntaf yn yr ysgol gynradd. Ar ôl dweud adref iddi fwynhau'r wers, cofiodd am ofal a siars ei mam wrth ei gwisgo bob bore.

'O,' ychwanegodd, 'ac roedd popeth yn iawn, Mam. Wnes i ddim dangos fy nicars i'r hogia.'

'Sut lwyddaist ti i beidio â gwneud hynny 'ta?'

'Wel, eu tynnu nhw i ffwrdd yndê!'

* * *

Anfonwyd plant adref i holi lle gwnaed y cyllyll a'r ffyrc yn eu cartrefi. Disgwyliai'r athro yr ateb amlwg – Sheffield.

Cafodd ateb diddorol gan un o'r plant:

'St George's Hotel!'

* * *

Arwydd o'r amserau sydd yn y stori hon. Athro technoleg (gwaith coed yn yr hen ddyddiau) yn pwysleisio'r angen am haen denau o'r glud wrth geisio gludo'r pren.

'Rŵan 'ta,' meddai gan ailadrodd er mwyn sicrhau fod y plant wedi deall y neges, 'beth ydach chi *ddim* i fod i'w wneud efo'r glud?'

'Ei arogli fo, Syr!'

* * *

Clywyd mewn ysgol yng Ngwynedd yn ddiweddar: Sut mae mam yn berwi'r tecell?'

'Ar y *Rayburn*.'

'Sut mae hi'n smwddio?'

'Da iawn, diolch!'

* * *

Roedd yr athrawes yn trafod y thema boblogaidd, 'Pobl sy'n ein helpu'. Y meddyg oedd dan sylw.

'Beth mae'r meddyg yn ei wneud?'

'Pan rydan ni'n sâl mae o'n rhoi ffisig i ni,' meddai un ohonyn nhw.

'Pan fydda i'n sâl mi fydd Mam yn rhedeg i nôl bowlen,' meddai un arall.

* * *

Roedd yna firi lond y tŷ gyda'r ddau blentyn yn cadw reiat a sŵn mawr. Cafodd y tad lond ei fol a dyma fo'n dweud:

'Dwi'n mynd i'r llofft i gael llonydd.'

Doedd o ddim wedi bod yno ddau funud yn gorwedd ar ei wely na chlywodd y drws yn agor. Un o'r plant oedd yno.

'Dwi isio llonydd hefyd,' meddai hwnnw, er na wyddai beth oedd ystyr y gair!

Toc dyma'r ail blentyn i'r drws.

'Isio llonydd hefyd, Dad!'

* * *

Ymwelydd yn cael cynnig paned mewn ysgol. Sylwodd fod pig y tebot wedi malu a bod rhyw fath o bibell rwber wedi'i gosod yn lle'r pig. Pan ddaeth amser chwarae, daeth y genod ifanc i glirio'r llestri. Aed â'r tebot i'r toiled i'w wagio. Ymhen ychydig daeth y genod at y drws i ddweud bod y pig wedi syrthio i mewn i'r toiled.

'Wel,' meddai'r brifathrawes, 'fedrwch chi mo'i gael o allan?'

'Gallwn fel arfer Miss, mae o'n syrthio i'r toiled yn aml,' meddai'r hynaf, *'ond mae o wedi diflannu rownd y gornel y tro yma!'*

Plentyn yn cael trafferth efo'i waith rhifo. Dyma'r athrawes yn tynnu llun pump o ddefaid ar y papur, ac yna gan droi at y bychan, gofynnodd:

'Faint o ddefaid fedri di weld ar y papur 'ma?'

'Pob un ohonyn nhw!' oedd ei ateb slic.

* * *

Roedd y ferch deirblwydd wedi cael ei siarsio i fwyta'n daclus yn nhŷ ei modryb ac ar ben pob dim i fod yn gwrtais ac i gofio diolch am bopeth.

Wrth rannu'r bwyd, dyma'r fodryb yn gofyn iddi:

'Fedri di wneud dy hun 'mach i, 'ta wyt ti isio i mi dy helpu di i dorri'r cig yna?'

'Na, ddim diolch. Dwi'n medru gneud yn iawn achos 'dan ni'n cael cig mor galed â hwn adra weithia.'

* * *

Wrth deithio ar yr A470, sylwodd y tad fod y bachgen yng nghefn y car yn gwelwi a'i lygaid yn dechrau rowlio.

'Wyt ti isho taflu i fyny?'

'By . . . y . . . '

Sŵn chwydu mawr dros fat cefn y car a'r mab yn ceisio esbonio'n llythrennol gywir beth oedd yn bod arno:

'Na,' meddai, *'By . . . y . . . Isio taflu i lawr, by . . . y . . . '*

* * *

Roedd hwn mewn helynt byth a beunydd. Un tro roedd wedi bod yn golchi ei ddwylo yn nŵr y toiled – ac mi gafodd ei ddal gan y merched cinio eto.

Daeth y prifathro ato ymhen sbel ac eglurwyd sut y bu iddo droseddu.

'Wyt ti wedi bod yn golchi dy ddwylo yn y toiled?' holodd y prifathro (nad oedd fawr mwy na phum troedfedd o daldra).

'*Naddo, wir,*' meddai'r bychan, '*aroglwch nhw!*' A dyma fo'n stwffio ei ddwylo yn syth o dan drwyn y prifathro.

* * *

Mae'r stori nesaf fymryn yn gas, ond mae hi'n berffaith wir. Hogyn fferm, a oedd yn arfer clywed iaith â blas y pridd arni, yn gweld bod ei athro wedi dechrau tyfu locsyn – *designer stubble* fyddai rhai yn ei alw.

'*Mae'ch locsyn chi yn debyg i farrug ar gachu ci, Syr,*' meddai'r llefnyn heb unrhyw falais yn ei lais.

* * *

'Miss, be sy' wedi'i sgwennu yn fy llyfr i?'

'Tyrd â fo yma. Fedri di ddim darllen! Dyma fo i ti – "*Mae'r llawysgrifen yma'n llawer rhy flêr*".'

* * *

'Wnest ti sgwennu ar y wal Rhian?'

'*Naddo, Miss, tynnu llun wnes i.*'

* * *

Ymwelydd mewn ysgol yn cael cynnig cacen gan ferch fach eiddil yr olwg. Dyma ddweud wrthi:

'Ew, na, dydw i ddim eisiau bwyd. Dy gacen di ydy hi, bwyta di hi bob tamaid.'

Roedd y ferch yn benderfynol o rannu ei chacen, ond yn hytrach na chymryd cacen gan blentyn mor eiddil, dyma'r ymwelydd yn dweud:

'Wn i beth wna' i, mi gymra i hanner efo ti.'

A dyna a fu. Pan ddaeth amser cinio, cafodd yr ymwelydd gynnig cacen arall gan yr un ferch, a dyma wneud ei orau glas i wrthod yn garedig.

'Ew, na, fedra' i ddim w'sti. Rydw i wedi cael tamaid gen ti y bore 'ma. Ti piau'r gacen yna, cadw di honna i ti dy hun.'

Dyma'r ferch fach yn dweud, '*Na, cymrwch un, mae gen i ddigon o gacennau w'chi, mae fy chwaer fawr yn gweithio mewn becws, ac mae hi'n dod â nhw adref wedi'u cuddio yn ei nicyrs!*'

* * *

Plentyn yn canu'n swynol mewn ysgol a'r athrawes yn ei ganmol o flaen yr ymgynghorydd sirol. Hwnnw wedi'i blesio'n arw a dyma fo'n dweud wrth y plentyn, 'Rwyt ti'n canu fel aderyn.'

A dyma'r bychan yn gofyn, er mawr embaras i'w athrawes, '*Pa un?*'

* * *

Athro'n dysgu gwyddoniaeth yn ardal Caernarfon ac yn sôn am ysglyfaeth ac ysglyfaethwr.

'Pwy sy'n gwybod beth ydi ysglyfaeth?' oedd un o'r cwestiynau. Doedd neb yn ateb.

'Dewch rŵan,' meddai'r athro, 'rydan ni wedi bod yn sôn am hyn o'r blaen, dwi'n siŵr fod rhywun yma yn cofio beth ydy 'sglyfaeth.'

A dyma un o'r plant yn dweud:
'*Dwi'n gwybod, Syr – dyn budr!*'

* * *

Roedd athro wedi mynd i drafferth mawr i ddangos sut oedd cynhyrchu trydan ar gyfer ymweliad pwysig yr arolygwyr ysgolion. Bu wrthi am nosweithiau yn gosod olwyn ddŵr, tyrbein, deinamo a gwifrau at ei gilydd ac yn y diwedd roedd y cyfan yn gweithio'n berffaith a bylb yn goleuo ar ben arall y gwifrau. Chwarae teg iddo, roedd wedi rhoi ei holl galon i'r gwaith.

Daeth y diwrnod mawr. Rhoddodd esboniad llafar i'r plant o'r hyn oedd yn digwydd i ddechrau, yna'r arddangosfa weledol. Aeth popeth yn berffaith. Yna, gyda gwên lydan dyma ofyn i'r plant os oedd ganddyn nhw rywbeth roeddan nhw eisio'i holi o ynglŷn â'r rhyfeddod a welsant. Tawelwch.

'Unrhyw gwestiwn o gwbwl?'

Dim siw na miw.

'Unrhyw sylw gan rywun 'ta?'

Toc, dyma hogyn a'i law i fyny.

'Ia?'

'Mi welais i lwynog neithiwr, Syr.'

* * *

Arolygydd mewn ysgol yn arsylwi gwaith plentyn. Dyma oedd yn llyfr y plentyn:

ddoe, ddoe, ddoe
hapusrwydd, hapusrwydd, hapusrwydd,
heddiw, heddiw, heddiw,
tristwch, tristwch, tristwch,
yfory, yfory, yfory,
marwolaeth, marwolaeth, marwolaeth.

'Ew,' meddai'r arolygydd, 'rydw i wrth fy modd efo'ch cerdd chi. Wel, mae hi'n un dda!'

'Be 'dach chi'n feddwl?' meddai'r plentyn. *'Nid cerdd sy' gen i yn fan'na, Miss Roberts sy' wedi gofyn i mi sgwennu pob camgymeriad sillafu yn fy llyfr dair gwaith!'*

35

Roedd gan yr hogyn hen gast o godi yn y nos i fynd i gysgu i gesail ei fam yn y gwely mawr.

Yn yr oriau mân un noson, safai'r bachgen wrth ochr y gwely – ond ei dad oedd yn y pen hwnnw'r noson honno.

'Be wyt ti 'isio?' holodd y tad.

'Isio mynd i gysgu at Mam.'

'Twt, rwyt ti'n hogyn mawr rŵan. Rwyt ti'n rhy hen i fynd i gysgu at dy fam fel hyn.'

'Ond rwyt ti'n ddyn, ac rwyt ti'n dal *i gysgu efo Mam!'*

* * *

Criw o blant ysgol yn mynd i weld ŵyn bach ar fferm gyfagos. 'Ew,' meddai un ohonyn nhw oedd o gefndir amaethyddol, 'Mae 'na gachu gwarlheg ym mhob man yma Miss!'

Trodd yr athrawes ato gan ddweud yn eithaf cadarn, 'Rŵan ta does dim angen siarad fel 'na, baw gwartheg rydan ni'n ei ddweud.'

Ymhen sbel dyma'r bychan yn gweiddi, 'Miss, miss mae Bethan wedi sefyll ar gachu gwartheg!'

'Rydw i wedi dweud un waith,' dwrdiodd yr athrawes, 'Baw ydy'r gair. Wedi sefyll mewn baw y mae hi.'

'Nage Miss,' meddai'r bychan yn awdurdodol, *'Nid baw ydy o, wedi sefyll ar gachu gwartheg mae hi!'*

Gadewch i blant bychain . . .

Roedd bachgen bach yn y capel gyda'i fam. Daeth yn amser am y bregeth a dilynodd y bychan, gyda diddordeb, gamau'r gweinidog yn dringo i'r pulpud ac yn sefyll yno'n ei gell fach yn cychwyn annerch y gynulleidfa.

Toc, dyma'r pregethwr yn codi stêm a chychwyn codi'i lais. Aeth i dipyn o hwyl ac ar hyn dyma daranu a bytheirio ac fe ddechreuodd chwifio'i freichiau a dyrnu'r astell ddarllen. Wrth weld y fath berfformans, trodd y bychan at ei fam a gofyn:

'Be wnawn ni os daw o'n rhydd?'

* * *

Teithio ar fws o'r Gerlan ger Bethesda i Fangor tua'r Nadolig. Wrth fynd drwy Lanllechid daw yr afon Menai, Ynys Môn a Chastell y Penrhyn i'r golwg. O'm blaen eisteddai tad a hogyn bach tua pump oed. Gofynnodd y tad: "Sgwn i pwy oedd yn byw yn y castell?' Fel ergyd o wn atebodd y bychan:
'*Herod mae'n siŵr!*'

* * *

'*Duw cariad uwd.*'
Adnod gan Non yn Ysgol Sul Capel Salem, Treganna.

* * *

Gweinidog ym Mhen-y-groes yn y pumdegau yn gofyn i'r plant ddweud eu hadnod a hithau'n gyfnod etholiad. Dyma oedd gan un hogyn bach i'w ddatgan:
'Mae'n adeg lecsiwn eto
Wel cofiwch fotio'n gall
Rhowch fôt i Goronwy Roberts
A chic yn din y llall.'
'Ia,' meddai'r gweinidog, 'ond dydi honna ddim yn adnod.
'*Mae Mam yn deud ei bod hi.*'

* * *

Derbyniodd darlledwr enwog lythyr yn ddiweddar gan fam a soniodd am ei merch yn adrodd adnodau o'r Bregeth ar y Mynydd. Yr hyn ddywedodd hi oedd:
'*Na thrysorwch ichi drysorau ar y ddaear, lle mae Gwynfryn a rhwd yn llygru . . .*'

* * *

Hogyn arall yn canu:
Deuaf atat, Iesu,
Cyfaill plant wyt Ti,
Ti sydd yn teilyngu
Malwan bach fel fi.

* * *

Merch piau'r pennill hwn:
Cariad Iesu Grist,
Cariad Duw yw ef,
Cariad mwya'r byd
Cariad mwyar duon.

* * *

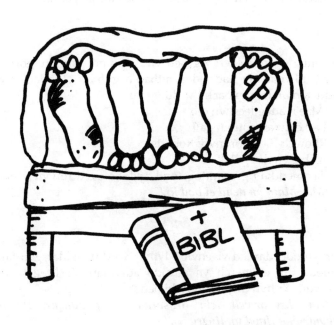

Plentyn yn sgrifennu hanes Mari Jones yn cerdded o Lanfihangel-y-Pennant i'r Bala i mofyn Beibl.

' . . . *Cafodd Mari Jones Feibl gan Tomos Charles. Y noson honno fe gysgodd Mari hefo Tomos Charles.'!*

* * *

Roedd y gweinidog yn gweddïo ar ryw batrwm tebyg i hyn:
    'I Ti y bo'n diolch yn feunyddiol . . . I Ti y bo'r mawl . . . . I ti
y bo'r clod a'r bri . . . '
    Bachgen bach yn y gynulleidfa yn troi at ei fam a holi:
    'Pam fod Mr Davies yn sôn am E.T. o hyd?'

Wrth droed y mynydd roedd capel Soar a chynhelid Ysgol Sul yno yn yr haf. Un tro, roedd yno Gyfarfod Ysgol ac roedd yr holwr yn gofyn i'r plant adrodd hanes Arch Noa. Gofynnodd i'r plant sut roedd Noa yn treulio'i amser ar yr Arch.

'Siarad efo'r teulu,' meddai un plentyn.

'Beth arall?'

'Ymdrochi,' meddai un arall.

'Da iawn. Rhywbeth arall?'

'Pysgota,' meddai un bachgen.

'Da iawn, wir. Oedd o'n treulio llawer o'i amser yn pysgota?'

'Na, ddim felly. Dim ond dau bry' genwair oedd ganddo fo.'

* * *

40

Y plantos yn cael gwers am saint a'r athrawes wrthi'n ceisio egluro enwau lleoedd.

'Enw pa sant sydd yn yr enw Llandudno?'

'Sant Tudno,' atebodd un o'r plant.

'Llanberis?'

'Sant Peris.'

'Oes gan unrhyw un esiampl arall?'

'Mae gen i un, Miss,' meddai un ohonyn nhw – *'Sant Tân!'* (h.y. Sam Tân!)

* * *

Does fawr ers pan oedd un o eglwysi'r Hen Gorff yn dathlu daucanmlwyddiant ei sefydlu, ac fel sy'n weddus ar achlysur o'r fath yr oedd nifer o gyfarfodydd pwrpasol wedi eu trefnu, gan gynnwys parti mawreddog i'r plant. Yr oedd pob plentyn yn ogystal i gael myg i gofio'r digwyddiad, efo llun y capel a 'Bethesda M.C. 1781-1981' wedi'i argraffu arno. Doedd yr un o'r hogia'n rhy siŵr beth a olygai'r M.C. chwaith, nes i un seraff roi cynnig arni:

'Mi wn i,' meddai'n wybodus, *'Myg Capal!'*

* * *

Cwestiwn: Pwy nad oedd yn hapus pan ddaeth y mab afradlon yn ei ôl?

Ateb: *Y llo pasgedig.*

Gwlad y tylwyth teg

Ar dro, bydd plentyn yn dweud rhywbeth mor anodd i'n rheswm bach cyfyng a chul ni i ddygymod ag o nes ei bod hi'n amhosibl gwneud dim byd ond torri'n boliau wrth chwerthin, codi'r pengliniau i ddawnsio, gwrando am seiniau'r bîb a'r crwth a'u dilyn nhw i wlad y tylwyth teg:

Roedd y brawd hynaf wedi bod yn yr ysgol ers tro a dyma fo adref un diwrnod gan ddweud yn falch:

41

'Rydw i'n medru darllen llyfr rŵan.' Doedd y brawd bach ddim am fod ar ei hôl hi chwaith. Er nad oedd o wedi cychwyn ar ei yrfa addysgol, mynnodd gael y gair olaf:

'Hy, mi fedra' i ddarllen **heb** *lyfr!'*

* * *

Athrawes babanod oedd Mrs Williams ac roedd hi'n ardderchog am ganu'r piano. Ond un diwrnod fe ddaeth athrawes lanw i'r ysgol. Dyma un o'r plant yn gofyn iddi, 'Fedrwch chi ganu'r piano fel Mrs Williams?'

'Na fedraf wir,' meddai'r athrawes lanw, 'dim ond efo un bys fydda i'n chwarae.'

A dyma'r plentyn yn ei chysuro ar unwaith. *'Ew, mae hynna'n dda iawn 'tydi, mae'n rhaid i Mrs Williams ddefnyddio ei dwy law!'*

* * *

Plentyn mewn dosbarth babanod yn cael cerydd am fod ei esgidiau ar y traed anghywir.

'Sawl gwaith sydd raid i mi ddweud wrthot ti am y traed 'na?' dwrdiodd yr athrawes. 'Ffwrdd â thi a phaid â dod yn ôl nes bydd rheina ar y traed cywir.'

Mi ddaeth y bychan yn ei ôl toc ac roedd yr esgidiau yn dal ar y traed anghywir.

Dwrdiodd yr athrawes eilwaith. 'Wel sawl gwaith sydd raid i mi ddweud wrthot ti? Mae'r esgidiau ar y traed anghywir.'

'Be,' meddai'r bychan, *'y ddwy ohonyn nhw?!'*

* * *

Bachgen bach yn sgwennu llythyr a'r fam yn gofyn i bwy oedd o.

'I fi,' meddai'r bychan.

'Wel, be ti'n ddeud ynddo fo?'

'Dwi'm yn gwbod eto, fory dwi'n ei gael o.'

* * *

'Pam mae llawfeddyg yn gwisgo mwgwd pan mae o'n rhoi triniaeth i bobol?' gofynnodd athro i ddosbarth o blant deg oed.

Meddai un o'r bechgyn: *'Fedar neb ei nabod o wedyn os gneith o stomp o betha!'*

* * *

Athrawes yn canmol plentyn am ddarllen yn dda gan ei brolio'n fawr. A dyma'r bychan yn dweud yn hollol ddidaro.

'Dwi mor dda, dwi'n gallu darllen efo fy llygaid ar gau!'

* * *

Athrawes feichiog wedi cael scan yn yr ysbyty ac yn dangos y 'llun' i un o'r plantos.

Dyma'r ateb gafwyd. *'Hogyn fydd o Miss, mae ganddo fo wallt cwta!'*

* * *

Hogan fach wedi rhyfeddu at yr hyn a welodd ar y fferm:

'Mi welais i iâr yn dodwy ŵy. Ew, mi gafodd hi job hefyd achos erbyn iddi orffen roedd yr ŵy yn chwys diferol.'

* * *

'Mae 'nhad i'n gweithio 24 awr mewn diwrnod.'

'Wel mae 'nhad i'n gweithio 25 awr achos dydi o ddim yn cael awr ginio!'

* * *

Mam yn mynd â'i geneth fach at y meddyg.

'Tynnwch eich tafod allan,' meddai dyn y gôt wen.

Tynnodd hithau flaen ei thafod rhwng ei dannedd.

'Dydw i ddim yn ei gweld hi'n iawn,' cwynodd y meddyg, 'tynnwch hi i gyd allan.'

'Fedra' i ddim,' meddai'r ferch fach, *'mae hi'n sownd yn y pen arall!'*

* * *

Roedd y ferch bedair oed yn edrych ar ei hadlewyrchiad mewn drych mewn siop yn y Bala. Aeth i siopau eraill efo'i mam cyn mynd yn ôl i'r un siop ac edrych eilwaith yn y drych. Ymhen ychydig dywedodd wrth yr adlewyrchiad – *'Ti'n dal yma'r diawl bach!'*

Pytiau o ddyddiaduron plant ysgol

'Mi fydda i yn hoffi bacwn, ond dim pan mae o wedi rhydu.'

* * *

'Mi fydda i yn gwneud hanner fy ngwaith cartref ar nos Wener, hanner ar nos Sadwrn, a'r hanner arall ar nos Sul.'

* * *

'Dydi Mam ddim yn iach. Mae hi wedi cael ordors i beidio cael babi gan y doctor.'

* * *

'Mae pawb eisiau gwyliau o un pen o'r flwyddyn i'r llall.'

* * *

'Mae mwnciod yn bwyta bananas a phobl.'

* * *

'Mi fywiodd y brenin hyd ddiwedd ei oes.'

* * *

C: Pwy sgwennodd y Beibl?
A: *Wm Collins & Son Ltd!*

* * *

' . . . *Mae Johann Sebastian Bach yn gerddor enwog. Ysgrifennodd lawer iawn o ddarnau cerddorol. Roedd ganddo ugain o blant. Roedd yn ymarfer yn yr atig bob nos . . . .*'

* * *

'*Canibaliaid yw dau ddyn sy'n lladd ei gilydd.*'

* * *

'*Roedd yna ryfel yn 1918 a phob blwyddyn ers hynny rydan ni wedi cael dau funud o heddwch.*'

* * *

Mae'r gynghanedd yn creu problemau annisgwyl:

'Gelwir y geiriau ar ôl y gwant yn *geilliau*.'

* * *

'*Esgyrn* yw'r enw ar y ddwy linell olaf mewn englyn.'

* * *

C: Mae pedwar math o gynghanedd. Enwch y pedwar math o gynganedd a geir.
A: *Ferrari, Toyota, Ford, Nissan.*

* * *

Cafwyd ateb hollol annisgwyl i gwestiwn yn holi am wybodaeth seryddol:
C: Sgrifennwch yr hyn a wyddoch am Sadwrn.
A: *Diwrnod ydi Sadwrn ac ar nos Sadwrn mi fydd 'na lot yn yfed cwrw yn y* Cross *ac ar ôl cau mi fydd 'na andros o sŵn, a ffeit weithiau.*

* * *

C: Pa mor ddibynadwy yw'r ffynhonnell?
A: *Mae'r ffynhonnell yn ddibynadwy iawn achos mae'r pysgod yn gallu yfed y dŵr.*

Atebion Arholiad

Roedd athro hanes wedi gosod cwestiwn i blant llai galluog:
Cwestiwn: Nawdd Sant Cymru yw D--- S---.
　Ond roedd yr ateb a gafodd ychydig yn wahanol:
Ateb: *Nawdd Sant Cymru yw Dafydd Wigley.*

* * *

'Un gwahaniaeth rhwng planhigyn ac anifail yw nad oes raid i'r planhigyn fynd i'r toilet.'

* * *

Cwestiwn: Beth ydi ystyr annoeth?
Ateb: *Rhywun yn gwisgo lot o ddillad.*

* * *

'Oes gan dy fam beiriant golchi?'
　'Oes, dau. Un i wlychu'r dillad a'r llall i'w sychu nhw.'

* * *

Mewn prawf arbennig, roedd y plant wedi cael gwybodaeth am fôr-ladron a'u hynysoedd yn y Caribi ac roedd enwau rhamantus fel Jamaica, Barbados a Panama yn canu yn eu pennau. Wrth ailadrodd yr hanesion, sgwennodd un hogan fach:
　'Roedd Harri Morgan yn gweithio i Barnados.'

* * *

Cwestiwn ar bapur arholiad addysg grefyddol:
   'Beth yw *rabbi*?'
   Ateb gan un o'r plant:
   'Y rabbi *yw disîs peryglus y mae cûn yn ei gael.'*

* * *

C: Rhowch enw dri arbenigwr y gallwch eu holi am ansawdd y siocled.
A: ***Anti Gwen, Anti Siân a Nain achos maen nhw'n dda am gwcio.***

* * *

Ar bapur arholiad gwyddoniaeth:
   'Beth yw pwynt berwi dŵr?'
   A'r ateb a gafwyd:
   'Er mwyn gwneud panad!'

* * *

Cwestiwn mewn arholiad:
   'Pwy adeiladodd gastell Caernarfon?'
   Ateb gan un disgybl:
   'Arthur Llywelyn Jenkins.'

* * *

'Mae pelydr X yn cael ei greu pan fo pelydrau'r haul yn croesi ei gilydd.'

* * *

'Mae'r triongl yn y llun yn iawn!'

* * *

'Tasach chi ddim yn bwyta am 60 diwrnod, mi fasech chi'n marw mewn mis!'

* * *

'Cafodd Iesu Grist ei groeshoelio a chafodd ei ailgylchu ar y trydydd dydd.'

* * *

Gaynor Davies yn sôn am gwis plant gyda chwestiynau ar gynnyrch Cymru.
Holwr: Be gewch chi ym Mhen-clawdd?
Plentyn: *Mwyar duon.*

Annwyl Athro . . .

Mae'r plant yn medru bod yn rhyfedd? Ond beth am y rhieni. . . ?

Annwyl Athro . . .
Cafodd Siôn ei frifo yn chwarae pêl-droed ddoe. Cafodd ei frifo yn y darn sy'n tyfu.

Annwyl Athro . . .
Esgusodwch Tomi am fod yn absennol ddoe. Roedd ganddo ddolur rhydd ac mae ei esgidiau'n gollwng.

Annwyl Athro . . .
Esgusodwch Jimmy am fod. Ar ei dad y mae'r bai.

Annwyl Athro . . .
Cedwais Thomas gartref gan fod arno eisiau mynd i wneud ei siopa Nadolig a dydw i ddim yn gwybod beth yw ei faint o.

Annwyl Athro . . .
Esgusodwch Jên am fethu'r ysgol ddoe. Ddaru ni anghofio nôl y papur Sul o'r porch a phan weison ni o heddiw roedden ni'n meddwl mai Dydd Sul oedd hi.

Annwyl Athro . . .
Mae'n ddrwg gen i am Gwen. Mae hi wedi bod yn sâl ac yn gorwedd o dan y doctor.

Annwyl Athro . . .
Mae'n ddrwg gen i nad oedd Gareth yn yr ysgol ddoe. Mae ei dad wedi mynd a fedrwn ni ddim ei gael yn barod gan fy mod yn y gwely efo'r doctor.

Annwyl Athro . . .
Roedd Marian yn absennol ar Rhagfyr 11-16 am fod ganddi wres, dolur gwddw, cur pen a stumog wan. Roedd gan ei chwaer wres, dolur gwddw, cur pen a stumog wan hefyd. Roedd gwres ar ei brawd ac roedd o'n boenau i gyd. Doeddwn i ddim yn dda chwaith, dolur gwddw a gwres. Rhaid bod yna rhywbeth yn mynd o gwmpas roedd hyd yn oed eu tad yn boeth neithiwr.

Annwyl Athro . . .
Plis peidiwch â mynnu bod Siân yn bwyta bresych. Mae'n dod â nhw adref wedi'u stwffio i lawr ei sanau.

Annwyl Athro . . .
Drwg gennyf fod Sandra'n hwyr. Roedd yn aros am y bws am ugain munud i naw, ond daeth yn ôl i fynd i'r toiled, ac mi fethodd hi o.

Annwyl Athro . . .
Ddaru Owen ddim aros ar ôl ysgol ddoe oherwydd i mi ddweud wrtho i beidio, ac mae ganddo fwy o fy ofn i na chi.

Annwyl Athro . . .
Fedar Elen ddim dod i'r ysgol heddiw. Mae'n rhaid iddi fynd at y doctor efo'i llygada am eu bod nhw wedi cau ar ddydd Sadwrn.

Annwyl Athro . . .
Fedar Dylan ddim mynd i'r ysgol heddiw am ei fod o yn methu mynd. Mae'r doctor yn deud na cheith o ddim mynd nes bydd o wedi mynd. Pan fydd o wedi mynd mi ddaw o yn ei ôl.

Annwyl Athro
Mae'n ddrwg gen i na fu John yn yr ysgol ar Ionawr 28, 29, 30, 31, 32 a hefyd 33.

Annwyl Athro
Roedd John yn absennol am ei fod wedi tynnu dau ddant o'i wyneb.

Annwyl Athro
Aeth Llinos ddim i'r ysgol ddoe am fod ganddi big yn ei hochor.

Annwyl Athro . . .
Mae'n ddrwg gen i nad oedd Aled yn yr ysgol ddoe, ond roedd ganddo fo gyrn yn ei ben!

Annwyl Athro . . .
Nid oedd Jane yn yr ysgol am ei bod o dan y doctor.

Annwyl Athro . . .
Ni fu Sandra yn yr ysgol ddoe oherwydd iddi fynd i destio ei llgada gan eu bod wedi cau ar ddydd Sadwrn.

Annwyl Athro . . .
Rhieni yn ceisio bod yn swyddogol-barchus ac yn sgwennu nodyn Saesneg i esbonio absenoldeb Wil bach:
'Dear Sir. He was not in School yesterday because he had the shits.'

Annwyl Athro . . .
Nid oedd Carwyn yn yr ysgol yr wythnos ddiwethaf oherwydd fod ganddo bib drwy dyllau yn ei esgidiau.

Annwyl Athro . . .
Fedrai Dylan ddim mynd i'r ysgol oherwydd ei fod yn methu mynd. Mae'r meddyg yn dweud y buasai'n well iddo aros adref hyd nes y bydd wedi mynd. Pan fydd o wedi mynd, mi ddaw yn ei ôl.

Annwyl Athro . . .
Drwg gennyf fod Emyr yn hwyr ond mae wedi brifo'i goes, ac
mi gysgais i yn hwyr.

Annwyl Athro . . .
Doedd Menna ddim yn yr ysgol yr wythnos hon oherwydd fy
mod i wedi bod â 'mhen i lawr efo'r peintiwrs ers tri diwrnod.

Annwyl Athro . . .
Mae John wedi bod adref oherwydd bod y wraig wedi cael
efeilliaid. Gallaf eich sicrhau na fydd hyn yn digwydd eto.

Annwyl Athro . . .
Dwi ddim eisiau i Roger dynnu ei ddillad ar gyfer P.T. Mae o
wedi cael y 'runs' yn ddiweddar. Fydd o'n iawn iddo fo ei
wneud o yn ei 'jogging suit'?

Annwyl Athro . . .
Bu William adref o'r ysgol am fod ganddo diarrhoea trwy dwll
yn ei drowsus.

Annwyl Athro . . .
Gadawodd Sharon am yr ysgol mewn amser ond bu'n rhaid
iddi ddod adref hefo'i stumog.

Annwyl Athro . . .
Doedd Tomi ddim yn yr ysgol ddoe achos ro'n i'n cael babi.'
O.N. Ddim ar Tomi roedd y bai.

Arwyddion Ciami

TAGFA A MARMALÊD
Cyfieithiad o *'Jam & Marmalade'* mewn archfarchnadoedd ym
Mhen-y-bont ar Ogwr.

GWYRO NODDEDIG yn y Lion.
Rhyw fath o blygu corfforol?
Cyfieithiad o *'Sponsored Body-waxing'* erbyn dallt
– ar boster yng Nghricieth.

Cyfieithiad o . . .
PERYGL CREIAU'N SYRTHIO!
DANGER UNSTABLE CLIFFS!

GWINOEDD AC YSBRYDION
Cyfieithiad o *'Wines and Spirits'* mewn archfarchnad.

I BOBOL SY'N DDIFRIFOL AM EU FFITRWYDD
Ar boster mewn Canolfan Chwaraeon

TWLL DYN AR I FYNY
Cyfieithiad o *'Raised Manholes'* – sir Benfro.

CODIAD! GWAITH DUR
Cyfieithiad o 'Raised Iron Work')

GWAHARDDWCH EICH AMGYLCHEDD
Ar hysbysfwrdd cyhoeddus ar draeth Dinas Dinlle.

CYFYNGAU
Mewn adran ddillad merched o Safeways, Caerfyrddin –
'tights'!

TORLLWYTH CATH
Am 'Cat Litter' – Safeway, Bangor.

MANNAU PARCIO I RIENI GYDA PHLA
Cyfieithiad o *'Parent with Child Parking Spaces'* – Tesco.

FFERYLLFA CLEIFION ALLANOL MEWNOL
– Ysbyty'r Brifysgol, Caerdydd.

PLANT TRWM YN CROESI
Cyfieithiad o *'Heavy Plant Crossing'*.

DIODYDD CYGSYMU
'Cymysg' wedi'i gymysgu! – Tesco, Hwlffordd

'FRACTURE CLINIC – CLINIC TORRI ESGYRN'
Clinic yn Ysbyty Llanelli.

BRASSERIE
BRON GLWM
Gwelwyd tu allan i dŷ bwyta ym Maes Carafanau Bryn Teg, Llanrug.

ELW AT Y PWYLLGOR LLYWIO
PROCEEDS TO THE PAINTING COMMITTEE
Arwydd yn Llanaelhaearn – 'lliwio' stafall yn Llŷn ydi ei phaentio hi!

* * *

Arwydd yn labordy'r ysgol:
Dylid rhoi unrhyw beth efo'r label **'GWENWYN'** arno i aelod o'r staff.

* * *

Ar fwrdd hysbysu'r ysgol:
Os ystyriwch fod problem gennych chi dylech weld y prifathro.

* * *

Arwydd dwyieithog o flaen cwmni Seisnig o werthwyr tai oedd yn ceisio gwneud argraff ffafriol ar y bobl leol:
Estate Agents: **Stad-fachwyr.**

* * *

Dau yn teithio ar yr A55 o Benmaenmawr am Gonwy ac un yn troi at y llall a dweud:

'Yn tydyn nhw'n meddwl am enwau Cymraeg gwirion! Drycha be maen nhw'n galw *dual carriageway* rŵan . . . '

Yr arwydd roeddan nhw'n ei basio ar y pryd oedd un gyda'r enw *DWYGYFYLCHI* arno.

Hiwmor Iwerddon

Mae rhyw chwedloniaeth ynghlwm wrth y Gwyddelod, gyda'u hagwedd hamddenol at fywyd, eu straeon rhyfeddol a'u traddodiadau lliwgar. Dyma gasgliad o hanesion ffraeth am yr Ynys Werdd, ei phobol a'i phethau sy'n adlewyrchu apêl hiwmor unigryw Iwerddon atom ni'r Cymry.

Hamdden

'When God made time, he made plenty of it' yw un o hoff *ddywediadau traddodiadol y Gwyddel, a does dim amheuaeth bod ganddo agwedd ddi-hid a hamddenol at gloc a chalendr. Mae'r stori hon gan Robin Llywelyn yn gyflwyniad da i'r adran:*

Pan oedd Siân a fi ar wythnos o wyliau ar Inis Meáin ryw dro, roeddan ni'n awyddus un diwrnod i fynd ar sgowt i'r tir mawr.
    'Pryd ddaw'r cwch nesa?' holais i a ninna ar ben y cei.
    'Ar dop llanw,' meddai'r dyn oedd wrthi'n llusgo rhyw gêr i mewn i gwt cyfagos.
    'Pryd fydd y llanw nesa 'ta?'
    'Pan ddaw'r cwch.'

* * *

Criw o Flaenau Ffestiniog yn cyrraedd gorsaf Dún Laoghaire, a holi:
    'Pa mor aml mae'r trenau'n mynd i Ddulyn?'
    'Bob chwarter awr.'
    'Pryd mae'r un nesaf yn mynd?'
    'Mewn ugain munud.'

* * *

Un arall yn holi mewn gorsaf ym mherfeddion y wlad:
    'When's the next train to Dublin today?'
    Ac yn cael yr ateb swta:
    'Tomorrow.'

* * *

Myfyriwr o America yn mynd at yr Athro Proinsias MacCanna yn Nulyn a gofyn iddo a oedd gan yr Wyddeleg air oedd yn gyfystyr â *mañana*?

Wedi pendroni dipyn, dywedodd yr Athro fod ganddynt nifer o eiriau tebyg, *'but none of them have the same kind of urgency'!*

* * *

Aeth gŵr o Mayo at y doctor gan gwyno ei fod wedi colli tair swydd mewn tri mis.

'Be ydi'r broblem?' holodd y doctor.

'Dwi bob amser yn hwyr yn y bore,' oedd yr ateb. *'Y drafferth ydi 'mod i'n cysgu'n ara deg iawn.'*

* * *

Roedd tramorwr ar blatfform yr orsaf yn studio'r amserlen trenau ac mi wylltiodd yn gandryll pan sylweddolodd fod ei drên dair awr yn hwyr. Rhyw hen bortar bach oedd yn digwydd bod yn ymyl gafodd hi ganddo fo:

'Dwn i ddim pam eich bod chi'n trafferthu cyhoeddi amserlen o gwbwl yn y wlad 'ma!'

Edrychodd y portar bach arno'n oeraidd a dywedodd, gan bitïo anneallusrwydd yr ymwelydd:

'Os na fasa gennym ni amserlen, sut fasan ni'n gwybod pa mor hwyr ydi'r trên?'

* * *

Stori Arthur Thomas:
'Un tro, tra oeddwn yn teithio mewn bws o Luimneach (Limerick) i Trá Lí, safodd y bws mewn tref fechan, a dyma'r gyrrwr yn sefyll yn y blaen a chyhoeddi wrth y teithwyr, *'There will be a short wait of about twenty minutes to wait for a connection'*, ac allan â fo o'r bws. Wel, doeddwn i ddim am eistedd yn y bws am ugain munud, ac felly es am beint i'r bar oedd â'i ddrws yn gyfleus iawn yn union gyferbyn â drws y bws. Codais beint o'r du, a phwy welwn yn eistedd ar stôl yng

nghornel y bar ond gyrrwr y bws. Es ato am sgwrs ac mi ddywedodd *'There's no connection, it's just that it's thirsty work driving the bus.'*

Ar ôl gorffen yfed, aeth y ddau ohonom i'r bws a pharhau'r daith – heb neb yn cwyno nac yn holi cwestiynau.

Yn rhyfedd iawn, roedd y digwyddiad yn fy atgoffa o'r tymor cyntaf a gefais fel disgybl yn Ysgol Llanrwst. Ar y ffordd adref un diwrnod, dyma yrrwr y bws (a oedd yr adeg honno yn fws gwasanaeth Crosville) yn stopio cyn cyrraedd Ty'n y Coed (ar ffordd Penmachno) ac yn mynd i'r cae i hel myshrwms – a'r plant a'r bobl yn edrych arno heb gwyno dim. Roedd hamdden i wneud rhywbeth felly yng Nghymru bryd hynny, ac yn Iwerddon hyd heddiw nid yw hynny'n beth anghyffredin.'

* * *

Ar ôl treulio rhai oriau yn seiclo ar un o Ynysoedd Árainn, aeth y Cymro i mewn i dafarn mewn pentref go dawel am lymaid. Er mai canol y prynhawn oedd hi, roedd nifer fawr o ddynion lleol yn pwyso ar y bar yn sgwrsio tros beint. Yn naturiol, cynhwyswyd y dieithryn yn y sgwrs ar ei ben.

Holodd y Cymro a oedd hi'n brysur arnyn nhw yr adeg honno o'r flwyddyn – diwedd Mehefin oedd hi. Roedd ymateb yr ynyswr yn bur ddramatig – gwnaeth geg 'O' a chymryd cam yn ôl oddi wrth y bar a chodi'i ddwylo o'i flaen.

'Oh! It's frightfully busy now. Frightfully busy. FRIGHTFULLY. There's no stopping now straight through to September. Straight through!'

Yna, camodd yn ôl at y bar a phwyso arno, cymryd llymaid o'i beint a throi yn ôl i sgwrsio'n hamddenol gyda hwn a'r llall.

Rhwng cau ac agor

Mae tai tafarnau yn rhan o apêl Iwerddon, ac yn aml nid yn unig nid oes yna amser cau yn y rheiny ond does yna ddim amser agor chwaith, fel y cawn glywed yn un o'r straeon nesaf hyn.

Mae chwedloniaeth yr oriau agor yn lluosog dros ben.

'Pryd ydach chi'n cau!' oedd cwestiwn un ymwelydd mewn gwesty yng ngorllewin y wlad un nos Sul yn yr haf.

'Sometime in October,' oedd yr ateb.

Aeth Cymro i un o chwe sir y gogledd ar ei daith ac am ddau o'r gloch y bore, holodd y tafarnwr pryd y byddai'n debygol o gau'r bar.

'Ah, the police have plenty of other things to do,' oedd yr ateb.

Aeth dau Gymro i dafarn yn Nulyn yn gynnar un bore a chael ar wybod nad oedd y bar yn agored eto. Ond, wrth gwrs, roedd croeso iddyn nhw eistedd yno i ddisgwyl am yr awr honno. Toc, dyma'r tafarnwr yn ei ôl atynt a gofyn:

'Would you like a pint while you're waiting for the bar to open?'

* * *

Adeg gêm yn Nulyn, aeth dau sychedig i roi cnoc ar ddrws tafarn *O'Donoghues* am hanner awr wedi wyth y bore a chael croeso gwresog.

'Come in, come in, lads, sure you can have a pint.'

Ddwyawr yn ddiweddarach, roedd y ddau'n barod i symud

ymlaen i loches arall. Dyma alw'r tafarnwr a diolch am y lletygarwch.

'But you can't go out now lads,' meddai hwnnw, *'we're not even open yet!'*

* * *

Roedd *Slatterys* yn llawn ar gyfer y seshwn fore ac fel arfer roedd criw da o offerynwyr a baledwyr yn difyrru'r amser yno. Roedd gŵr ffraeth wrthi'n cyflwyno rhai o'r cymeriadau o amgylch y bwrdd.

'And here he is, poor old Mick,' meddai am foi oedd yn edrych fel 'tae ganddo fwy o benglog na neb arall. *'The only exercise he gets daily now is the shakes.'*

* * *

Pan oeddent yn teithio tua'r Ffla am y tro cyntaf yn 1974 mi ddaru dau deithiwr o Gymru ddal trên o Ddulyn i Luimneach, oedd yn digwydd bod yn drên sydyn rhwng y ddau le. Ond er mor sydyn ei wib, bu'n rhaid iddo dynnu i'r ochr ger Port Laoise er mwyn i'r trên Ginis ei basio. Blaenoriaethau!

* * *

Yn ôl yr hanes, roedd offeiriad yn pregethu'n danllyd yng nghefn gwlad Iwerddon yn ystod y ganrif ddiwethaf.

'Y ddiod,' taranai, 'yw eich gelyn pennaf. Mae'r ddiod yn eich llenwi gyda dicter ac mae'n gwneud ichi gasáu eich landlordiaid. Yn fwy na hynny, mae'n gwneud i rai ohonoch chi gario gynnau a saethu at eich landlordiaid – ond yn waeth na'r cyfan, mae'n gwneud ichi eu methu nhw.'

* * *

Roedd dau farnwr o Kerry a Corc wedi bod mewn cinio mawreddog yn Nulyn ac yna'n gyrru'n ôl i'r de-orllewin. Tua dau o'r gloch y bore, roeddan nhw yr ochr draw i Luimneach ac erbyn hynny roedd lefel yr alcohol yn eu gwaed yn beryglus o isel ac roedd peryg iddyn nhw syrthio i gysgu wrth y llyw.

Mewn tref farchnad fechan, gwelsant swyddog o'r Garda yn sefyll ar gornel stryd. Dyma aros ac agor y ffenest:

'Wyja know where two thirsty men might get a couple of jugs at this hour officer?' holodd un o'r barnwyr.

Oedodd yr heddwas am funud cyn ateb.

'Well now, let me think. No, I most certainly cannot think of such a place, but I might know where three thirsty men might achieve the same objective.'

* * *

Daeth Gwyddel i mewn i'r dafarn ac archebu wisgi poeth. Wrth weld y Cymro dieithr wrth y bar yn dangos diddordeb, esboniodd y Gwyddel ei fod yn yfed wisgi poeth efo lemon a chlôf 'at yr annwyd'. Yna, ychwanegodd:

'I've been taking it for six weeks now and, thanks be to God, my cold isn't any better.'

* * *

Cyfraniad difyr gan Bili Jones:
Mae gen i gyfaill yn Conamara sy'n arbenigwr ar ddistyllu poitín. Mae o'n 85 oed erbyn hyn, yn ddawnsiwr tan gamp, ac yn credu yn y tylwyth teg. (Annoeth fuasai ei enwi, am resymau amlwg.) Dywedodd wrthyf un tro, ac mi oedd 'na arogl diod ar ei wynt bryd hynny – fel bob amser, fod y meirw yn dod heibio iddo cyn mynd i'r nefoedd; yn eistedd ar y setl wrth ymyl y tân mawn ac yn cyfaddef eu pechodau i gyd.

Mae'r waliau a'r nenfwd yr un lliw â'r mawn sy'n llosgi ar y tân agored. Mae'r tylwyth teg yn galw heibio'n aml ac yn dawnsio ar yr aelwyd. Pan welais o ddiwethaf, holais *'How are the fairies?'*

'Plenty of fairies,' oedd yr ateb a gefais.

Mae ei Saesneg yn glapiog iawn, a'r unig ymadrodd hawdd ei ddeall ganddo yw'r hyn a glywn wrth holi am bris potelaid o'r poitín: *'Four pounds, please!'*

'Ydy'r poitín yn stwff go dda?' holais. Ar amrantiad, dyma fo'n taflu rhyw fymryn ar y tân agored. Fe gododd andros o fflam fawr, o leiaf bum troedfedd i'r awyr, nes ein bod yn neidio mewn braw.

Wrth inni ymadael, gwelsom gwpl o ieir yn crafu yn y *mash* y tu allan i'r bwthyn. Roedden nhw'n sigledig iawn ar eu traed – wir yr! Cawsom bnawn difyr yn sgwrsio a blasu 'gwlith y mynydd' cyn troi am adref. Wedi inni ddod atom ein hunain, dyma geisio gweithio englynion i'r poitín. Wn i ddim am eu gwerth llenyddol, ond maen nhw'n haeddu eu cyhoeddi!

Poitín

Poitín sydd fêl i'r potiwr – i'n sgyfaint
   Mae'n wisgi llawn cynnwr';
Boed nerth i'r cyfanwerthwr!
Ato'r awn â'i ddawn a'i ddŵr!

Hylif peryg difrifol, – yn y llwnc
   Mae fel llid uffernol;
Diod Erin werinol
A fynno boen o fewn bol.

Dŵr tanllyd ir sy' ynddi o dirion – erwau
   Conamara'r Werddon;
Cynnes haidd yw cynnwys hon,
Mae'r profi'n eli i'r galon.

Credaf mai eu gadael yn ddi-enw fuasai orau!

Gyda llaw, does dim yn well na poitín am lanhau tar oddi ar garpedi. Rydw i wedi rhoi cynnig arni ac mae'n gweithio'n grêt. Duw a ŵyr beth mae o'n ei wneud i'r stumog!

Un rhybudd cyn cloi. Nid yw'r poitín yn rhywbeth i chwarae ag o. Mae 'na stwff sâl iawn o gwmpas. Cefais rybudd i beidio â chyffwrdd mewn poitín os nad yw'n llosgi gyda fflam las. Os nad yw llefrith yn cymysgu'n dda efo fo (h.y. os yw'r llefrith yn cawsio) cadwch o at bwrpas glanhau yn unig . . . !

* * *

Aeth cwpwl o Gymru ar wyliau seiclo i Iwerddon yn ddiweddar – a hynny ar dandem. Roedd hi'n brynhawn sychedig mewn ardal wledig yn y gorllewin a'r ddau wedi bod yn pedlo ers tro. Roedd drysau'r dafarn yn estyn gwahoddiad. I mewn â nhw a chyn hir roedd y gwmnïaeth yn ddifyr a'r Guinness yn llifo.

Ar ganol y sesiwn, daeth y plismon pentref i mewn. Daeth at fwrdd y beicwyr – yr unig ddieithriad yn y dafarn yn amlwg.

'Is it you who owns the tandem outside?' oedd cwestiwn swyddog y gyfraith.

Oedodd y Cymry, gan daflu cip pryderus ar y gwydrau hanner llawn a gweigion o'n blaenau. Oedd hyn yn drosedd? Yn y diwedd, dyma gydnabod mai nhw oedd piau'r beic a pharatoi am ymateb y plismon. Roedd hwnnw'n un annisgwyl:

'Do you think I might have a go on it?'

Iaith

Mae llawer o ewyllys da at Gymry ac at y Gymraeg yn Iwerddon – maen nhw'n gwybod am y cysylltiad ond heb ddeall y manylion yn llawn bob tro. Sawl gwaith wrth siarad Cymraeg, rydan ni'n ei chlywed yn cael ei chanmol yno gyda rhyw linell fel 'Oh! It's lovely to hear you speaking Welsh Gaelic.'

* * *

Roedd Robin Llywelyn, sy'n rhugl yn yr Wyddeleg, a dau arall o Gymru mewn bws bach ar Inis Mór, Árainn, a gofynnodd y dreifar iddo sut ei fod ef yn medru siarad efo fo yn yr Wyddeleg. Eglurodd mai o Gymru yr oedd a bod y ddwy iaith rywbeth yn debyg.

'O, dwi'n dallt rŵan,' medda fo. 'Ac mae'n rhaid bod dy iaith Gymraeg di'n debyg ar y naw i'r Wyddeleg achos dwi'n medru dallt tri chwarter be ti'n ddeud wrtha i.'

Mi feddyliodd am dipyn bach wedyn ac ychwanegu:

'*Ond un peth dwi ddim yn ddallt ydi, os ydi'r tri ohonoch chi'n dŵad o Gymru, pam ddiawl mae'r ddau yna'n y cefn yn siarad Almaeneg?*'

* * *

Aeth criw o Geredigion draw i Ddulyn yn ystod yr haf a mawr fu'r hwyl a'r huotledd yn eu mysg. Wrth eu clywed yn mwynhau eu hunain mewn iaith gwbl ddieithr iddynt, dyma un o staff y gwesty atynt a gofyn ai criw o Ddenmarc oedden nhw.

'Nage, tad – Cymry ydan ni. Beth wnaeth ichi feddwl mai pobl o Ddenmarc oedden ni!'

Yr ateb annisgwyl oedd:

'*Because your English is so good.*'

Ac yn y Gymraeg roedden nhw'n parablu!'

* * *

Os ewch i Inis Mór yn Ynysoedd Árainn, gallwch deithio ar hyd yr ynys mewn trol a cheffyl. Ond ffordd ratach a difyrrach yw ar gefn beic. Pan oedd yno ar ddechrau'r wythdegau, aeth un teithiwr o Gymru i'r siop yn Cill Rónáin i logi beic.

Tair punt oedd yr un gorau yn y siop, ond yn fuan iawn fe welodd nad oedd yn gallu dringo'r pwt o allt o'r pentref. Bu'n rhaid cerdded am ychydig a mynd arno pan oedd hi'n fwy gwastad. Wedi codi sbîd, sylweddolodd faint ei ddyled i'w blentyndod ym Mhenmachno gan nad oedd pwt o frêc arno, a dim ond wrth roi ei droed ar y teiar y gallai ei stopio. Duw a ŵyr sut feic oedd y salaf!

Wrth deithio'r ynys, stopiai'r Cymro yma ac acw i weld ambell beth. Cyfarchodd ddau ŵr gan ddweud 'Jiawitsh' sef 'Sut ma'i' mewn Gwyddeleg. Ni wyddai fawr mwy na hynny. Atebodd y ddau gyda 'Jiasmarawitsh' a chario 'mlaen yn yr Wyddeleg. Atebodd yntau mai Cymro oedd ac, yn anffodus, na allai siarad eu hiaith. Gofynnodd un ohonynt iddo ddweud rhywbeth yn y Gymraeg, ac mi wnaeth yntau. Atebodd y llall mewn Gwyddeleg ac yn fuan iawn aeth y sgwrs rhagddi yn y dull hwnnw. Doedd ganddo'r un syniad beth oedd y gŵr yn ei ddweud, mwy nag oedd yntau'n deall y Cymro, ond daeth y sgwrs i ben drwy ysgwyd llaw mawr. Dywedodd ei gyfaill fod y dyn wedi mwynhau'r sgwrs yn arw. Ffarweliodd y Cymro â'r ynyswyr ac i ffwrdd ag o ar y beic, gan ryfeddu at y sgwrsio a fu.

* * *

Roedd tri ysgolhaig Gwyddeleg enwog yn Nulyn ar un adeg – 'Binchy, Bergin a Best' fel y'u gelwid. Pan oedd Bergin yn hen lanc oedrannus, aeth i angladd un o'r ychydig gyfeillion oedd ganddo ar ôl. Gwyddeleg oedd iaith gyntaf yr ymadawedig a golygfa drist i'r galarwyr eraill oedd gweld yr hen Bergin yn oedi uwchben y bedd ac yn wylo.

Aeth un o'i gydnabod ato i'w arwain oddi yno a cheisio'i gysuro bod y cyfaill wedi cael oes faith, lawen. Ond nid dyna achos y dagrau. Pwyntiodd Bergin at y plât ar yr arch a dweud:

'Look, there's a mistake in the Irish.'

* * *

Yn un rhan o orllewin Iwerddon, yr enw yn y dafodiaith leol ar 'dŷ bach' ydi *'back'*. Mae hynny'n creu pob math o ddeialogau od o dro i dro:

'Where's the back?'
'Out the front?'

Wrth reswm pawb

Mae pawb yn ystyried ei hun yn greadur rhesymol dros dro. Waeth pa mor eithafol neu wyrdroedig neu benwan yw eich rhesymeg, mae o'r peth mwyaf naturiol dan haul i chi eich hun.

Rywle o dan y tywod a'r gwymon, mae rhesymeg ambell Wyddel hefyd mor glir â môr y gorllewin. A dweud y gwir, mae'r cyfan mor loyw weithiau nes ei bod hi'n anodd iawn ei weld o. Dyma rai enghreifftiau disglair.

Roedd Gwyddel wedi marw ac fe'i rhoddwyd i orwedd yn ei arch – a dyna lle'r oedd o gyda'i lygaid ynghau ond eto gyda gwên lydan ar ei wyneb.

Esboniad ei wraig i gymdogion a ddeuai yno i gydymdeimlo oedd bod ei diweddar ŵr yn gwenu oherwydd iddo farw yn ei gwsg ac felly nid oedd yn sylweddoli eto ei fod wedi marw. Roedd o'n breuddwydio ei fod yn dal yn fyw, meddai, a phan fyddai'n deffro ac yn deall ei fod wedi marw, ofnai y byddai'r sioc yn ddigon i'w ladd o.

* * *

Roedd hi'n codi'n braf a gobaith y byddai'r tywydd yn dal. Yn ôl gwraig mewn hen, hen gaffi ar y ffordd:

'*The forecast is not good . . . – it's very good.*'

* * *

Mae gorsaf reilffordd yn medru bod yn lle diddorol yn Iwerddon. Dyma un o'r sgyrsiau na fydd y Gwyddelod byth yn blino sôn amdanynt:

Dyn o flaen y ciosg: '*I want a return ticket!*'
Swyddog: '*A return to where?*'
Dyn: '*Return back here, of course.*'

* * *

Aeth Cymro i siop yn Trá Lí a gofyn i'r hen wreigan y tu ôl i'r cownter a fuasai'n gwerthu crib gwallt iddo.

'*Would it be for your hair now?*' holodd ar ôl estyn crib.

* * *

67

Costiodd y tocyn hwn saith bunt Wyddelig. Ond roedd hi'n dipyn o ryddhad ei ddarllen a sylweddoli nad y ticed yn unig a geid am seithbunt – roedd mynediad i'r cae yn gynwysedig yn y fargen!

* * *

Pan oedd teithiwr o Gymru yng Nghill Áirne ryw dro, aeth ar gefn beic i An Daingean (Dingle) ac yno y bu yn slotian Guinness ac yn sgwrsio efo'r bobol tan amser cau ac yna'n cael cynnig lle dros nos gan un o'r hogia. Draw â nhw yn ei fan i ben ryw fynydd. Roedd y tŷ yn bell, bell o'r ffordd fawr beth bynnag.

'Mae hi'n dipyn o ffordd at y tŷ,' oedd sylw'r Cymro.

'Ydi, mae hi,' cytunodd yntau. *'Tasa hi'n llai o ffordd, fasa hi ddim yn cyrraedd y tŷ.'*

* * *

'Mae'r plismon newydd yn un tenau iawn.'

'Pa mor denau?'

'Wel, dwi'n denau ac mi rwyt tithau'n denau ond mae o'n deneuach na ni'n dau efo'n gilydd.'

* * *

Teimlad cysurus wrth deithio yn Iwerddon oedd clywed ar y radio fod Cymdeithas y Chwaraeon Gwyddelig wedi caniatáu i dimau Derry a Corc chwarae'r gêm derfynol y Sul canlynol yn eu lliwiau traddodiadol – hynny yw, roedd y *ddau* dîm yn cael chwarae mewn crysau cochion!

* * *

Roed dau ffermwr o Tipperary yn trafod prisiau gwartheg yn y farchnad y diwrnod hwnnw.

'Gest ti'r pris roeddat ti'n ddisgwyl ei gael am y fuwch 'na 'ta?' holodd un.

'Naddo. Ches i mo'r hyn ddisgwyliwn i ei gael,' atebodd y llall, *'ond dyna fo, doeddwn i ddim yn disgwyl cael.'*

* * *

'Lios Tuathail 1985 oedd y Ffla ddiwethaf i Arthur ei mynychu, a hynny gyda'i wraig. Dyma'i stori:

'Unwaith, euthum i'r gystadleuaeth *lilting,* oedd yn cael ei chynnal mewn stafell yn y Lleiandy. Daeth Gerallt Rhun (prifathro parchus) oedd yn digwydd bod yn yr ŵyl gyda ni. Cyn y gystadleuaeth hon, roedd cystadleuaeth chwibanu, a dyma stiward y gystadleuaeth yn rhoi cerydd i ddwy ferch oedd yn eistedd yn y tu blaen o blith yr hanner cant a mwy, gan ddweud:

'Would you mind not laughing, this is a serious competition.'

Yna, galwodd enw dyn o'r Unol Daleithiau i gystadlu. Neb yn ateb. Dyma fo'n gofyn:

'Is there anybody from America here?'

Dwy ferch yn codi eu dwylo. Cwestiwn nesaf yr arweinydd difrifiol oedd:

'Do you know him?'

* * *

'Oes 'na obaith o gwbwl?' gofynnodd yr hen Wyddeles i'r doctor, wrth wely angau ei gŵr.

'Mae'n edrych yn ddu iawn,' meddai yntau. 'Dwi wedi llwyddo i dorri'r dwymyn ac o leiaf mi gewch chi'r tawelwch meddwl o wybod bod eich gŵr yn holliach pan groesodd o i'r ochr draw.'

'Diolch i Dduw,' meddai'r hen Wyddeles, *'nad ydi o'n marw o ddim byd difrifiol.'*

* * *

70

Criw o Gymry yn aros mewn gwesty ger Dulyn yn ystod yr haf, ac yn dotio o weld un o weithwyr y lle yn mynd allan i ddyfrio'r blodau yn y bore – a hynny yn ei ddillad glaw a chydag ymbarél, am ei bod hi'n arllwys y glaw!

* * *

Dro arall ym mhentre Leitir Móir, roedd criw o Gymry yng nghwmni ffermwyr lleol yn y dafarn, a dyma ofyn i un ohonyn nhw, *'How many cows have you got?'*

'Four . . . or maybe five!' oedd yr ateb.

Buont yn meddwl llawer am honna. Oedd 'na fuwch yn sâl, neu tybed oedd o'n amau bod yr ymwelwyr yn gweithio i'r Weinyddiaeth Amaeth!

* * *

71

Roedd criw o Gymry yn treulio noson mewn gwesty a'r noson honno, roeddent yn mynd allan, ac wedi cael goriad i'r drws a'r goriad sgleiniog yn amlwg newydd gael ei dorri. Mi driodd un y goriad i weld a oedd yn ffitio'r clo – rhag ofn y byddai'r gwin du wedi pylu gormod ar ei olwg yn ddiweddarach yn y nos! Ni chafodd fawr o lwc wrth geisio ei droi yn y clo. Aeth i nôl gwraig y tŷ, ac mi ddaeth hi a'i gŵr yno, a bu'r ddau wrthi'n ddyfal yn dangos sut oedd y goriad yn gweithio, a bod rhaid tynnu'r goriad allan ychydig o'r clo, ac wedyn ei droi – hynny ar ôl cryn drafferth i gael y goriad i mewn i'r clo i ddechrau. Wedi'r perfformiad, dyma wraig y tŷ yn dweud:

'But anyway, we're going out tonight and there will be a key in the door when you come back.'

* * *

'Ga' i gwpanaid o goffi heb hufen?' gofynnodd yr ymwelydd.

'Mae'n ddrwg iawn gen i, ond dydan ni ddim yn cynnig hufen,' oedd ateb y gweinydd. 'Fasa wahaniaeth gennych chi gymryd cwpanaid o goffi heb lefrith?'

* * *

Flynyddoedd yn ôl, cyn i'r Weriniaeth weld safonau'r ddarpariaeth i ymwelwyr yn codi'n aruthrol i'r hyn yw heddiw, roedd dau westy bach teuluol mewn pentref yn y gorllewin. Holodd teithiwr rhyw ŵr lleol pa un o'r ddau westy fuasai'n cynnig y lletty gorau iddo.

'Gadewch i mi ei roi o fel hyn,' oedd yr ateb amwys. 'Pa un bynnag ddewiswch chi, mi fyddwch chi'n difaru na fuasech chi wedi mynd i'r llall.'

* * *

Roedd teithwyr o Gymru yn siarad â ffermwr o un o'r ynysoedd ar y tir mawr a chan eu bod yn awyddus i ymweld â'r ynys, dyma holi lle'r oedd o'n byw. Beth oedd enw'r fferm?

'It hasn't got a name,' meddai yn y modd mwyaf hyfryd. 'Sure, everybody knows where I live!'

* * *

72

Mae 'na gymeriad ar bob cornel. Mae un Cymro yn cofio sefyll wrth ymyl y *chef* mewn gwesty yn Gaillimh rhyw dro. Roedd yn siarad *ar y ffôn* gyda'i gyfaill. *'You're looking good,'* meddai wrtho!

* * *

Roedd tref fechan yn y Werddon wedi prynu injian dân newydd sbon danlli goch, a'r diffoddwyr ofn yn eu calonnau gael galwad i dân rhag iddynt ei baeddu a'i chrafu. Ond yr oedd gwaeth pryder; methu â gwybod beth i neud hefo'r hen un. Galwyd pwyllgor. Yr oedd rhai am ei thaflu i'r afon, lleill am ei sgrapio a'i gwerthu yn ddarnau.

Cododd doethor ar ei draed yn y diwedd. 'Mae arna i ofn ein bod ni'n gneud camgymeriad wrth 'madael â hi,' medda fo fel 'na.

'Sut felly?' meddai'r lleill. 'Dydi hi'n dda i ddim i ni rŵan hefo'r un newydd 'ma.'

'Gweld ydw i,' meddai'r cynghorydd, 'y basa hi'n handi iawn tasa ni'n cael *false alarm.'*

* * *

Stori wir a adroddir am Mike Gibson – yn ôl yn nyddiau rygbi amatur, wrth gwrs – yw ei fod wedi derbyn llythyr gydag amlen stampiedig (stamp 5c arni) gan Undeb Rygbi Iwerddon yn gofyn am 4c o ad-daliad am yr alwad ffôn a wnaeth o'i ystafell yn y gwesty.

* * *

Roedd dau Gymro yn dal bws yn Nulyn un Sul a dyma'r gyrrwr yn estyn tocynnau iddyn nhw gan ddweud bod yna gynnig arbennig ar y Suliau ac nad oedd raid i ddau frawd oedd yn teithio gyda'i gilydd ddim ond talu am bris un tocyn.

'Ond dydan ni ddim yn frodyr,' ceisiodd un o'r Cymry roi ar ddallt iddo.

'Wrth gwrs eich bod chi,' wfftiodd y Gwyddel wrth glywed y fath lol, *'rydach chi'r un ffunud â'ch gilydd. Dyma chi – dau docyn am bris un.'*

* * *

Gŵr o Fangor yn darllen adroddiad papur newydd am angladd yn Kerry. Cofnodwyd fod damwain anffodus wedi digwydd yn ystod y gwasanaeth yn y fynwent – roedd un o'r galarwyr wedi disgyn i mewn i'r bedd agored ac wedi torri'i goes. Diweddai'r adroddiad gyda'r geiriau:

'This unfortunate incident put rather a gloom on the proceedings.'

O fan i fan

Mae gofyn am gyfarwyddiadau ffordd yn Iwerddon yn destun sgwrs dwy awr, rownd o Guinness a hunangofiant neu ddau yn aml iawn. Mae eu defnydd o iaith a'u ffordd o addasu daearyddiaeth i ffitio'r ymadroddion yn medru bod yn wreiddiol iawn. Weithiau, bydd y pellter yn cael ei ddynodi mewn milltiroedd – 'and by miles, I mean Irish miles'. Be goblyn ydi milltir Wyddelig 'ta?

'Well, I'll tell you now – it's a mile and a bit. Yes, that's right, it's a mile and a bit – and sometimes the bit is longer than the mile.'

* * *

Cymro yn holi'r ffordd yng nghanol cefn gwlad Tipperary a daeth Gwyddel cymwynasgar at y car. Pwysodd ar y to a stwffio'i ben a'i ysgwyddau drwy ffenest y gyrrwr i gyflwyno'i stori. Dywedodd fod eisiau mynd ar hyd y lôn fechan yma nes dod at y troad cyntaf ar y dde. Anwybyddu hwnnw. Ymlaen nes dod at yr ail droad ar y dde. Peidio â chymryd sylw o hwnnw chwaith. Chydig nes ymlaen mae 'na droad arall ar y dde. Heibio hwnnw hefyd. Yna, mae 'na droad i'r chwith ac mae eisiau troi yn fan'no . . .

Bu'r gyrrwr mor annoeth â thorri ar draws huotledd y storïwr:

'Felly y troad cynta' ar y chwith dwi isio?'

Bu saib fer gyda'r cyfarwyddwr yn edrych yn bur flin ar y Cymro. Daeth y pen a'r sgwyddau i mewn ymhellach i'r car a gofyn:

'Now, who's giving these instructions, you or me?'

* * *

Maen nhw'n enwog hefyd am roi cyfarwyddiadau i bobl sydd ar goll.

'*You go straight up this road, turning,*' meddai un wrth ymwelydd o Gymro un tro.

'**It'll take you about ten minutes walking,**' meddai un arall, '**but you'll be faster if you run!**'

* * *

Mae hwnnw'n debyg i gyngor a dderbyniodd criw o Gymry ar strydoedd Dulyn un tro. Ar ôl derbyn cyfarwyddiadau manwl a braidd yn gymhleth ar sut i gyrraedd tafarn arbennig, dyma un yn gofyn i'r Gwyddel pa mor bell oedd hi.

A'r ateb oedd:

'*It's only a five minutes walk – if you run.*'

* * *

Dyn tacsi wedi'i ddal yn sownd gan brysurdeb y drafnidiaeth ac yn diawlio'i lwc wrth ei gwsmeriaid:

'*We'd have a clear run if it wasn't for the traffic.*'

* * *

Flynyddoedd lawer yn ôl, roedd criw o Gymry wedi cyrraedd Dun Laoghaire yn blygeiniol ac yn chwilio am y fflat yr oeddynt i aros ynddo. Dyma ofyn i rhyw ddyn ym mha le oedd 'Duke St'. Atebodd fel hyn:

'*Turn right after the second traffic light.*'

Dyma ddechrau cerdded, ac yn fuan iawn y daethant at oleuadau traffic, a chario 'mlaen. Buont yn cerdded am rhyw chwarter milltir heb weld yr ail un. Gwelsant un o'r Garda a'i holi am y stryd. Dywedodd hwnnw eu bod wedi hen basio'r stryd. Aethant yn ôl, ac wrth y goleuadau cyntaf gwelsant 'Duke St'. Ond roedd y gŵr yn iawn, mewn ffordd, wrth ddweud ei bod ar ôl yr ail olau – y golau cyntaf ar gornel y stryd, yna croesi'r ffordd, heibio i'r ail olau, a dyna lle'r oedd y stryd!

* * *

Teithiwr o Gymru yn holi'r ffordd yn Iwerddon a chael ar ddeall nad oedd ymhell o'i le:

'Turn left and you'll be right.'

* * *

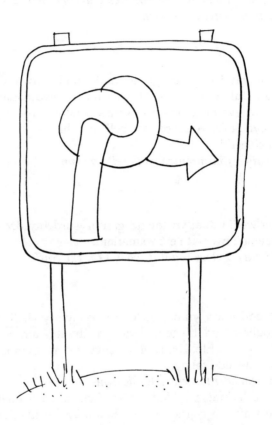

Llond car o Saeson yn stopio o flaen Gwyddel ar ochr y stryd ger Gaillimh gan holi a oeddan nhw ar y ffordd gywir am Athlone:

'Yes, you're on the right road,' oedd y sicrwydd a gafwyd. Yna ychwanegodd: *'But you're going in the wrong direction.'*

* * *

Holodd Cymro arall am y ffordd i Baile an Fheirtéaraigh ac wedi dipyn o grafu pen a phwyso a mesur gwahanol ffyrdd, y cyngor a gafodd gan Wyddel oedd:

'If I wanted to go to Baile an Fheirtéaraigh, I wouldn't start from here.'

* * *

Bodiwr yn Trá Li yn holi dyn bara am y ffordd oedd yn arwain i Luimneach a chafodd ateb ar ffurf cwestiwn.

'Dya want the slow road or the fast road?'

Wrth ei weld yn oedi, dyma roi cyngor:

'If I were you, I'd go to Lios Tuathail and ask there.'

Cafodd y bodiwr bàs i'r dre honno ac wrth holi ar y sgwâr mawr braf yno am y ffordd i Luimneach, dyma dderbyn y cyfarwyddyd a ganlyn:

*'Go **up** to the **bottom** of this road, go **straight** round the bend and then turn **right left**. And you'll see the signs there.'*

Ac 'arwyddion' oedd i'w gweld yno hefyd – un yn pwyntio i'r dde: 'Luimneach – 41' a'r llall i'r chwith: 'Luimneach – 41'.

* * *

Roedd Gwyddel o'r wlad yn gyrru yn y ddinas ac roedd hi'n amlwg nad oedd yn gyfarwydd iawn â gwneud hynny. Yn anffodus, ni welodd yr arwyddion coch a gwyn a gyrrodd i fyny stryd unffordd y ffordd anghywir.

Yn fwy anffodus fyth, roedd Garda ar y palmant ac wrth ei weld yn dod tuag ato, dyma'r heddwas i'r lôn a stopio'r car a gofyn i'r gyrrwr ble'r oedd o'n feddwl roedd o'n mynd.

'To an auction in Parnell Street,' atebodd y gwladwr. *'But I must be late – everybody else seems to be coming back from there.'*

Corc, Dulyn a Kerry

Mae i bob tref a rhanbarth yn Iwerddon ei chymeriad a'i hiwmor ei hun ac mae tipyn o dynnu coes rhwng gwahanol ardaloedd a'i gilydd.

Mae tipyn o grafu rhwng gwlad a thref yn Iwerddon fel ym mhobman arall. Bydd y *'Dub'*, brodorion Dulyn, yn targedu'r 'boi o Kerry' gyda'r math o jôcs twpdra a diniweidrwydd yr oeddan ni'n arfer eu clywed gan Saeson:

'Wnes i erioed ddallt,' meddai'r boi o Kerry wrth ddarllen y papur, 'sut bod pobol bob amser yn marw yn nhrefn yr wyddor.'

Roedd 'na foi arall o Kerry wedi dysgu torri'i winedd efo'i law chwith – rhag ofn y basa fo'n colli'i law dde rhywdro.

Sut mae nabod y briodferch mewn priodas yn Kerry? Hi sy'n gwisgo'r welingtons gwyn.

Ac yn y blaen. Ond bydd pobol Kerry a Corc yn taro'n ôl weithiau – ac nid ar gaeau hyrling a phêl-droed Gwyddelig yn unig:

Sut mae dweud pa mor hen ydi boi o Ddulyn?

– *Torri ei ben i ffwrdd a chyfri'r cylchoedd.*

Pam mae gan cymaint o bobol Dulyn grafiadau ar eu hwynebau?

– *Am eu bod nhw'n trio bwyta efo ffyrc.*

Pam mae gan gymaint o bobol Dulyn drwynau mawrion?

– *Am fod ganddyn nhw fysedd tewion.*

* * *

Mae straeon rhyfedd ac od a siarad, siarad, siarad yn dew ar strydoedd Dulyn. Daliwch y Dart o orsaf reilffordd Dun Laoghaire i'r ddinas ac mae rhywun yn siŵr o ddweud wrthoch chi eich bod ar *'the only overground underground in the world'*. Ewch i mewn i Bewley's am goffi a bydd rhywun yn y ciw yn saff o ddweud wrthych chi fod Brendan Behan un tro wedi disgrifio Dulyn fel *'the greatest open-air lunatic asylum in the world'*. Ewch i *McDaids's* am beint a bydd rhywun yn siŵr o dynnu sgwrs efo chi wrth y bar ac adrodd y stori fel y bu i'r tafarnwr yno un waith benderfynu cau'r lle. Trefnodd barti mawr a gwahodd Behan a Kavanagh a nifer o feirdd a llenorion i'r seshwn olaf. Cafwyd cystal hwyl yn y parti ffarwél nes i'r tafarnwr ailystyried yr ymddeoliad a phenderfynu ailagor y dafarn drannoeth. Ac yno mae hi o hyd.

* * *

'Oes 'na bobol o Kerry yma?' holodd un o'r band mewn perfformiad yn Nulyn. 'Os ydach chi'n dreifio adre heno – cofiwch fynd â'r car.'

Toc, mae'n ychwanegu.

'Na, chwarae teg – maen nhw'n bobol wreiddiol iawn. Wyddoch chi mai dyn o Kerry wnaeth ddyfeisio'r sedd toilet? Dwi ddim yn deud, ddaru 'na ddyn o Ddulyn addasu rhywfaint ar y cynllun gwreiddiol – a rhoi twll ynddi hi.'

* * *

Os mai dipyn o lo Llŷn ydi gŵr o Kerry i ddinaswyr Dulyn, does dim amheuaeth fod tipyn o waed Cardi yng ngwythiennau'r Corcmon, yn eu tyb hwy. Maen nhw'n ddynion busnes craff, yn hyderus (os nad yn orhyderus!) ac wrth gwrs, mae popeth gorau yn y byd i'w ganfod yn ninas Corc.

Mae pedwar wyneb i dŵr Shandon yn ninas Corc ac mae cloc ar bob un ohonyn nhw. Does neb byw yn cofio yr un o'r clociau yn cytuno â'i gilydd ynglŷn â faint o'r gloch oedd hi. Roedd hyn yn peri dipyn o ddryswch i lanc oedd yno ar ei wyliau a holodd mewn un tŷ tafarn pam na fuasai rhywun yn cywiro'r clociau.

'Wel, fel hyn mae hi,' oedd yr ateb a gafodd. 'Tasan nhw i gyd yn dangos yr un amser, un cloc fasan ni isio.'

* * *

Mae pobol Corc yn cael enw ymysg Gwyddelod o fod yn bobol hyderus, wyneb-galed a digon o ben blaen ganddyn nhw. Mi aiff Corcmon, meddan nhw, i mewn i ddrws troi y tu ôl i chi ond mi fydd o allan o'ch blaen chi. Mae hefyd yn tueddu i ganmol popeth sy'n perthyn i'w sir enedigol.

Roedd gŵr o Tecsas yn cael ei dywys o amgylch y ddinas gan Gorcmon brwdfrydig ac roedd y gŵr lleol wedi hen alaru clywed yr Ianc yn cyhoeddi fod popeth 'back home' gymaint mwy a chymaint gwell na'r hyn oedd gan ei hoff ddinas ef i'w gynnig. Yn y diwedd, aeth y Corcmon ag ef i weld ysbyty.

79

'Gee, mae ganddon ni un ddengwaith mwy na honna *back home,*' oedd yr un hen gân.

'*Synnu dim,*' oedd sylw Corcmon. '*Ysbyty'r meddwl ydi hi.*'

* * *

Mae'r farchnad sydd i'w gweld ar y Cei Glo yn ninas Corc yn un o'r rhai mwyaf lliwgar yn Iwerddon ac yn un o'r mannau prin hynny sy'n dal i gyfri arian yn bunnoedd, sylltau a cheiniogau. Pan oedd y wlad yn paratoi i newid i gyfri arian yn y dull degol, roedd un hen wraig y tu ôl i'w stondin ar y Cei Glo yn mynnu na fyddai'r dull newydd o gyfri byth yn cael ei arddel yn y farchnad honno.

'Mae o mor annheg ar yr hen bobol sydd wedi arfer efo sylltau a cheiniogau ar hyd eu hoesau,' cwynodd, gan ychwanegu, â phob gair yn ei le: '*Pam na fasan nhw wedi disgwyl i'r hen bobol i gyd farw cyn newid y system?*'

* * *

Roedd ymwelwr arall yn galw drwy Gorc ac mi aeth hi'n wasgfa arno yn hwyr y nos. Stopiodd y car a gofyn i'r gŵr cyntaf a welodd a oedd yna unrhyw siopau fferyllydd pedair awr ar hugain yn y ddinas.

'Siŵr iawn,' oedd yr ateb diymhongar. 'Mae gennon ni hanner dwsin ohonyn nhw, yn saff i ti.'

'Lle mae'r un agosaf?'

'A, waeth imi heb na dweud hynny wrthyt ti,' atebodd y Corcmon, heb droi blewyn, '*mi fydd pob un ohonyn nhw wedi cau yr adeg yma o'r nos.*'

* * *

Mae gan bobol y ddinas ddawn i ateb cwestiwn drwy ofyn cwestiwn arall.

'Wyt ti'n pledio'n euog 'ta di-euog?' holodd y Barnwr.

'*Be arall sy' gennych chi i'w gynnig?*' holodd y Corcmon.

* * *

Dim lol

Ar ôl tridiau yn y Ffla, daeth yn fore ymadael ac aeth y criw i roi un tro arall rownd y dre cyn mynd. Parcio wrth ymyl rhyw gar Nova bach, ac er ei bod hi'n hanner awr wedi deg y bora ac yn ddiwrnod gwaith, roedd 'na dri yn cysgu yn y sedd gefn a golwg fodlon braf ar eu hwynebau. Ymhen rhyw awr dyma'r Cymry yn ôl at eu car hwythau. Roedd y cysgwyr wedi deffro bellach ac wrthi'n gwagio'r car. Y sachau cysgu, y bagiau, y matiau i gyd wedi'u tynnu allan o'r Nova a'u pentyrru ar y stryd.

'*We've lost the keys!*' meddai un wrth inni basio.

Roedd o'n gwenu'n braf. Roedd o'n rhagweld y byddai'n rhaid iddyn nhw aros am ddiwrnod arall. O, na byddai'n Ffla o hyd . . .

* * *

Mae gan Arthur Thomas un stori y mae'n hoff o'i hadrodd. Digwyddodd hyn yn Lios Tuathail yn 1983.

'Euthum i dŷ bach y bar arbennig yr oeddwn ynddo un noson ond pan agorais y drws, roedd stoc o boteli cwrw wedi eu pentyrru ar y pan. Mae'n debyg bod y tafarnwr yn credu nad oedd angen y lle hwnnw wrth iddo ymresymu mai yfed oedd ei gwsmeriaid ac nid bwyta!

Euthum allan i'r stryd a chwilio am le arall ond roedd pob man un ai yn llawn neu ddim ar gael. Doedd dim amdani, gyda'i "thrwyn hi ar y brethyn" yn ôl yr hen air, ond ffeindio congl dywyll. Mi es i lawr drwy'r sgwâr am y cae rasio a dyma ffeindio lle hwylus y tu ôl i wal.

Tynnais fy nhrowsus a chwrcwd, ond yr eiliad honno, dyma sŵn traed a golau lamp, a phlisman yn fy holi:

'*What are you doing here?*'

Waeth heb na gwadu, meddyliais, felly:

'*Having a shit,*' meddwn.

'*Come with me,*' meddai, a minnau'n gweld noson yn y gell yn fy wynebu. Ond nid am y sgwâr yr aeth – yn hytrach, aeth am yr afon. Fflachiodd y golau ar bont fechan.

'*Shit under there,*' meddai, ac i ffwrdd â fo gan fy ngadael â'm ceg yn agored.

81

Rywsut, roedd hyd yn oed yr heddlu yn cymryd yr ŵyl yn yr ysbryd iawn!

* * *

Mae 'na swyddfa arbennig i'r Ffla sy'n croesawu ymwelwyr a threfnu llety. Aros efo teuluoedd ydi'r drefn arferol, yn debyg iawn i Steddfod eto, ac am rhyw ddecpunt y noson cafodd ymwelwyr o Gymru wely a brecwast mewn tŷ cyngor ar gwr y dref.

Roedd y croeso'n ddi-lol ac yn gynnes. Ar yr un stad dai, roedd hen wraig wedi cadw wyth o bobol bob nos yn ystod y Ffla flaenorol; y flwyddyn honno roedd 'na lond bws yn aros ar ei charpedi hi. Mi ddaethant ar draws Cymry eraill oedd yn aros efo cêsan debyg. Roedd honno isio mynd am sbri am ei bod hi'n Ffla ac wedi gofyn i'r hogia pryd oeddan nhw isio'u brecwast drannoeth. Cyn iddyn nhw gael cyfle i ateb roedd wedi ychwanegu:

'Whatever time you want it, you'll probably have to wait. Would between eleven and twelve be alright for you?'

* * *

Mae pob tafarn yn agored tan ddau o'r gloch y bore yn ystod y Ffla ac mae 'na hanner cant o dafarnau yn Clonmel. Wrth i'r bariau gau, llifai'r gerddoriaeth allan i'r strydoedd ac roedd rhai criwiau yn dal i ganu am chwech o'r gloch y bore.

Bob bore trannoeth, roedd 'na hen olwg ail-law ar bawb. Nyrfs pawb yn ddrwg. Mi ollyngodd rhywun hambwrdd gwag yn glec ar lawr mewn caffi a dyma pawb yn y caffi yn rhoi naid efo'i gilydd. Chwerthin mawr wedyn. Roedd un Cymro'n cwyno am ei gamdreuliad ac mi aeth i siop fferyllydd i chwilio am *Rennies*.

'I wish I had some,' meddai'r wraig tu ôl y cownter. *'The whole ffocyn town is asking for them.'*

Barney McKenna

Ymysg y Gwyddelod, hyd yn oed, mae ambell un yn fwy Gwyddelig na'i gilydd. Gwyddel go-iawn ydi Barney McKenna, chwaraewr banjo grŵp gwerin y *Dubliners*. Mae wedi ymweld a theithio drwy Gymru sawl gwaith ac mae ganddo nifer o gyfeillion agos yma. Cafodd amryw o gynulleidfaoedd gyfle i fwynhau ei huotledd a'i ddawn dweud ar y llwyfan hefyd oherwydd mae Barney yn frenin y Blarney, yn ogystal â bod yn bencampwr ar ei offeryn.

Y fo, fel y dywed gweddill yr aelodau, yw cadeirydd y grŵp – oherwydd mai fo ydi'r unig un ohonyn nhw sy'n eistedd tra'n perfformio. Mae golwg eithaf llonydd a phell arno ar brydiau, ond pan fydd yn gafael yn y banjo, bydd y bysedd yn gwibio yn chwimach nag y gall llygaid eu dilyn. *'With fingers like those, thank God he's not a pick-pocket,'* meddai Paddy Reilly ar ôl un datganiad tymhestlog.

Wrth gyflwyno un set o jigs a rîls, dywedodd Barney ei fod ef a John Sheahan am roi deuawd ar y mandolin nesaf a bod Eamonn Campbell am gyfeilio iddynt. Yna crynhoi'r cyfan fel hyn: *'Three of us are now going to play a duet.'*

Treuliai funudau yn rhoi cefndir ambell gân, ambell offeryn a'i 'Oncl Jim' ac ar ôl paldaruo'n faith un tro, gofynnodd a oedd yn gynulleidfa yn ei ddeall yn siarad. *'Well, there you are – if you tink I'm speaking too fast, you'll have to listen a little bit quicker.'*

Roedd y gynulleidfa ychydig yn hir yn cynhesu, ond yna, dyma ddechrau codi hwyl o ddifri. *'Thank God for that – I thought I was at an English wake,'* meddai Barney, gan fethu maddau ychwanegu cynffon fach arall. *'What's the difference between an Irish wake and an Irish wedding? One drunk less.'*

Ers blynyddoedd, Barney sy'n meddiannu'r sbot cyn yr egwyl yn y perfformiad. Cyn iddo gychwyn ar ei unawd banjo, bydd yr aelodau eraill wedi cilio o'r llwyfan ac esboniad Barney yw: *'They're going to put the kettle on. It's a big kettle.'* Ar ôl ei ddatganiad, bydd yntau'n codi a dweud ei fod yn mynd am ei baned ond y byddai'r ail ran yn dechrau ymhen pum munud. *'And when I say* five *minutes, I mean exactly five minutes . . . approximately.'*

Caiff ei gyflwyno gan un o aelodau'r grŵp ym mhob cyngerdd fel *'Barney McKenna – probably the best banjo player . . . in The Dubliners.'* Mae'r straeon amdano oddi ar y llwyfan yr un mor chwedlonol. Roedd y grŵp yn trafod gwahanol glefydau sydd wedi eu henwi ar ôl gwahanol rannau o'r byd un tro, a chafwyd cyfraniadau adeiladol megis *Asian Flu, German Measles, French Legionaires* ac yng nghanol y cyfan, cynigiodd Barney – yn hollol ddifrifol – yr afiechyd hwnnw a elwid yn:

'Scots Broth.'

Mae'n byw yn Howth Head ac maen ganddo gwch yn yr harbwr yno. Bydd yn annog rhai o'i gyfeillion i ddod i hwylio o dro i dro, ond roedd un ohonynt braidd yn nerfus. Aeth i dafarn ar y cei a holi hen longwr yno a oedd hi'n saff iddo fynd mewn cwch gyda Barney.

'Oh yes, perfectly safe,' oedd yr ateb, gyda'r ychwanegiad nodweddiadol Wyddelig: *'as long as yo don't go out of the harbour. He's as blind as a bat. I wouldn't follow him further than that door over there.'*

Mae'n yrrwr car anturus yn ogystal. Roedd Finbar Furey gydag ef un tro ac roedd hwnnw hyd yn oed yn bryderus am ei ddyfodol.

'Slow down Barney, for Christ's sake. You're dangerous. You're a mad driver.'

'This is nothing,' oedd cysur y dreifar. *'You should be with me when I'm driving on me own.'*

Tydi o ddim yn teimlo'n gyfforddus iawn mewn awyren chwaith. Roedd yn reit nerfus a phruddglwyfus un tro a dyma un o'i gydaelodau yn ei atgoffa o'r hen athroniaeth Wyddelig honno: *'Cheer up Barney, if your time is up, your time is up.'*

'Yes,' udodd Barney, *but what if the pilot's time is up?'*

Roedd y grŵp yn aros mewn gwesty a synnodd aelod arall o ddod ar draws Barney yn tynnu ei esgidiau yn y coridor.

'What are you doing, Barney?'

'I've lost the key.'

'So what are you going to do?'

'I'm going to kick the door in.'

'And why are you taking your shoes off?'

'I'm going to kick it in quietly so that I won't wake the rest of you up.

Cymry yn Iwerddon

Safai ymwelwr ar gornel stryd yn Nulyn gan ddal map o'i flaen a chrafu'i ben. Daeth Gwyddel ato a dweud wrtho fod y lle'r oedd o'n chwilio amdano rownd y gornel ar y dde. I ffwrdd â'r Gwyddel, heb ddisgwyl ateb. Rhyfeddod yr ymwelydd at alluoedd seicic y Gwyddel – ond rhyfeddod fwy fyth ar ôl mynd rownd y gornel a chanfod y lle'r oedd yn chwilio amdano.

Mae'r stori honno yn f'atgoffa o stori a adroddai'r diweddar Rhydderch Jones yn ei erbyn ei hun. Aeth i'r Ŵyl Ban Geltaidd yn Cill Áirne gyda chriw ffilmio ac roedd yn awyddus i geisio dal naws y dre a'r ardal wrth ffilmio rhai o grwpiau'r ŵyl. Treuliodd ddiwrnod yng nghwmni Terence, un o yrwyr y *jaunting cars* yn Cill Áirne.

Wrth glywed beth oedd ar y gweill, dyma Terence yn awgrymu rhoi'r grŵp mewn *jaunting car* ac yna eu ffilmio yn mynd am drot i lawr at y llyn a'r rhaeadr ac yn ôl ar hyd strydoedd y dre.

'Grêt!' meddai Rhydderch. *'Why didn't I think of that?'*

'That's what they all do,' cyfaddefodd Terence.

* * *

Aeth Gwenallt i Ddulyn yn ŵr cymharol ifanc a phan gerddodd i mewn i dafarn ar siawns, dyma'r barman cydnerth yn ei gyfarch:

'Tis yourself now,' gan ei godi'n grwn dros y cownter. Yr oedd y ddau ohonynt wedi rhannu cell yn Dartmoor – Gwenallt fel gwrthwynebwr cydwybodol, a'r Gwyddel, debyg, yn dilyn gwrthryfel 1916. Ychydig o'r gynhadledd yr aethai iddi a welodd Gwenallt weddill yr wythnos honno, yn ôl y sôn.

* * *

Yng Ngorffennaf 1966, yr oedd Padráig Ó Riain, un o Athrawon yr Wyddeleg yn Corc a Dafydd J. Bowen o Brifysgol Aberystwyth mewn tafarn yn Skibereen. Yn ystod oriau mân y bore, gofynnodd y Cymro i un o'r cylch:

'Aren't you afraid that the village policeman will drop in and arrest us?'

Atebodd: *'I am the village policeman.'*

* * *

Roedd Waldo ar gefn ei feic yn Iwerddon ac ar ei ffordd i'r gorllewin eithaf ar noson o haf pan feddyliodd y gallai fod yn nos cyn iddo gyrraedd pen y daith. Stopiodd mewn pentref ac aeth i mewn i siop fach oedd yn gwerthu popeth a gofynnodd i'r siopwr a oedd ganddo lamp beic.

Oedd, atebodd y siopwr ond mynnodd nad oedd angen y lamp ar Waldo gan nad oedd yn mynd yn nos o gwbwl bron yr amser hwnnw o'r flwyddyn.

Atebodd Waldo ei fod yn sylweddoli ei bod hi'n braf, ond os nad oedd gwahaniaeth gan y siopwr, fe hoffai e brynu'r lamp yr un fath.

Na, doedd dim o'i hangen arno, pwysleisiodd y siopwr. Bu'n daeru hir rhyngddynt ac ar ôl i'r ddadl goleuni/diffyg goleuni fethu, trodd Waldo at resymeg gwahanol:

'If I want the lamp, I don't see why I can't buy it.'

Ateb y Gwyddel oedd na fyddai'n iawn i siopwr onest werthu rhywbeth iddo nad oedd arno ei wir angen. A gadael y siop heb y lamp fu hanes Waldo yn y diwedd.

* * *

Clywais am griw Gwyndaf Evans, y gyrrwr rali enwog, yn cael eu stopio gan blismon yn Iwerddon. Holodd y plismon ble'r oedden nhw'n mynd, a phan glywodd eu bod ar eu ffordd i Béal Feirste, mynnodd fwrw golwg fanylach ar y llwyth tu ôl. Roedd 'na gar rali ar yr ôl-gerbyd, olwynion sbâr, jac a phob math o offer modurol. A dyma gwestiwn amlwg yr heddwas:

'Would you be going to the rally?'

Arwyddion

Arwydd yn Tipperary:

CAR PARK
PEDESTRIANS ONLY

* * *

Gwelwyd mewn salon yn Luimneach:

EARS PIERCED
WHILE YOU WAIT

* * *

Mae'n siŵr mai'r Gwyddelod yw'r rhegwyr mwyaf y gellir eu cael; nid oes rhegwrs gwell. Yn nhafarn Tom Long yn An Daingean, yr oedd arwydd y tu ôl i'r bar yn dweud:
  'Foul language will not be permitted in this bar – by order of the Manager.'
  Er hynny, roedd y lle yn dew o regfeydd y prynhawn yr ymwelodd y Cymro â'r lle – a'r rhegwr gwaethaf un oedd y gŵr y tu ôl i'r bar!

* * *

Roeddan nhw'n gweithio ar y ffordd ac i rybuddio gyrwyr roedd arwydd

SLOW

ar ochr y ffordd. Rownd cornel arall ac unwaith eto, roedd arwydd

SLOW

yn ein rhybuddio. Cornel arall, ac roeddan ni yn nes at y gweithwyr bellach a'r rhybudd terfynol ar ochr y ffordd oedd:

SLOWER!

Nabod eu gyrwyr, 'ta be?

* * *

Arwydd ar y post yn Gaillimh:

OPENING HOURS
Mon-Sat (except Fridays) 9 a.m. – 5 p.m.
Wednesdays 9 a.m. – 6 p.m.

Mewn tafarn:

Good clean entertainment in this pub
every night except Tuesday.

Ar giât:

Don't even think of parking here.

Mewn siop:

This shop is closed on account of reopening.

Mewn tref arall:

Early closing day all day Wednesday.

Mewn swyddfa'r post:

Pens will not be provided
until people stop taking them away.

Mewn clwb golff:

Trousers may now be worn by ladies
on the course – but they must be removed
before entering the clubhouse.

Arwydd arall mewn clwb golff yn Iwerddon:

The Next Meeting
of the Wednesday Golfers
will be held at 4.30
on Monday

Mewn gorsaf reilffordd:

There will be no trains running between Limerick
and Cork on Sunday next and delays of up to
thirty minutes can be expected.

Rhybudd:

No fishing allowed on this land.

Rhybudd arall:

To touch these wires
means instant death
– anyone who does so
will be prosecuted.

* * *

Aeth pâr o Gymru am wyliau i Iwerddon. Un noson roeddent yn aros mewn tŷ gwely a brecwast yng Nghill Áirne. Enw'r tŷ oedd *Tangerine House* – y perchennog yn ddigon craff i wybod beth allai ddigwydd petai'n rhoi enw cywir lliw y tŷ – oren! Yn y llofft roedd bwydlen brecwast bur anarferol (peth dieithr mewn tŷ gwely a brecwast, beth bynnag). Dyma'r hyn a oedd ar y fwydlen:

Breakfast
Choice of
Bacon and egg
Bacon and sausage
Bacon and tomato

Egg and sausage
Egg and bacon
Egg and tomato
Sausage and tomato
Sausage and egg
Sausage and bacon

Ond yn y bore, doedd neb yn gofyn dim ond yn rhoi platiad llawn o'ch blaen, yn cynnwys pob dim oedd ar y fwydlen.

Yn yr *Ivy Rooms* (gwesty chwain yn Nulyn), roedd arwydd ar ddrws ar y pedwerydd llawr gyda'r geiriau hyn arno:

FIRE ESCAPE

O'i agor, gwelech gwymp o ugain troedfedd i'r to fflat oddi tanoch.

* * *

Arwydd amwys iawn a welwyd yn Nulyn un tro oedd:

FINE FOR PARKING HERE

Beth oedd yr ystyr? Ai rhybudd o ddirwy neu dweud ei bod hi'n iawn i barcio yno?

* * *

Roedd dipyn o waith yn cael ei wneud ar ffordd ddeuol ar gyrion Dulyn gyda gwahanol ffrydiau'r traffig yn cael eu symud i'r chwith ac i'r dde ar draws y lôn. Toc, dyma ffordd glir heb gôr yn y golwg ond wrth yrru yn ei flaen, gwelodd y teithiwr arwydd yn ei wynebu:

YOU
ARE GOING
THE WRONG WAY

Arwydd wrth gyrraedd tref enwog yn Iwerddon:

Welcome to
TIPPERARY
You've come a long way!

* * *

Arwydd ar ddrws CAFFI yn Dingle:

Closed 1-2 pm
for LUNCH

* * *

Please don't push
the automatic door
– arwydd ar ddrws archfarchnad.

Geirio'n Gam

Bob tro mae rhywun yn agor ei geg, mae o mewn peryg o roi ei droed ynddi . . . Casgliad o eirio'n gam sydd yma – clasuron sy'n ychwanegiadau gogleisiol i'r iaith!

Fawr o Sais

Mae meddwl yn y Gymraeg a siarad yn Saesneg yn brofiad i lawer ohonom ac o raid, mi rydan ni'n cyfieithu ar y pryd a hynny air am air yn aml ac yn gorfod cydnabod nad ydan ni 'fawr o Saeson'. Mae rhywbeth od, rhyfedd, digri, chwithig yn digwydd rhwng y brên a blaen y dafod fel y dyn hwnnw oedd yn ceisio ymddiheuro gan ddweud fod ganddo bobol ddiarth yn galw y noson honno:

'*I can't come tonight – we've got strange people coming here.*'

* * *

Roedd cymeriad yn digwydd bod mewn tafarn ym Mhorthmadog pan oedd rhagolygon y tywydd ar y teledu. Niwl tew ar y mynyddoedd oedd i fod, meddai'r ddynes. Dyma'r tafarnwr oedd yn Sais yn gofyn:

'*What's the weather going to be, Twm?*'

'O,' meddai, '*fat fog on the mountains tonight, Bob.*'

* * *

Dyn o Bwllheli yn ceisio egluro i Sais pa mor galed oedd y graig.

'*You know, we were drilling in granite and it was as hard as rock.*'

* * *

Cymro'n rhedeg tîm pêl-droed o Fôn gydag un neu ddau o Saeson yn y tîm. Cyn y gêm dyma fo'n ceisio sôn am y chwaraewyr tal oedd gan y tîm arall:

93

'They've got two high men up front.'
A dyma fo'n dweud wedyn:
'I'm playing five in the back four today.'

* * *

Roedd dwy hen chwaer hynod o Gymreigaidd yn byw gyda'i gilydd. Ar y pryd roedd un yn wael yn ei gwely ond wedi dod i allu codi ar ei heistedd yn y gwely. Aeth y chwaer iach am dro bach a chyfarfod Saesnes glên.

Gofynnodd honno: *'How is your sister, is she still in bed?'*
Yr ateb a gafodd oedd:
'Yes in bed, but standing on her sitting now!'

* * *

Roedd gan un ffermwr arbennig gymydog o Sais oedd, fel yntau, yn cadw mochyn. Roedd y Cymro yn mynd o amgylch yn lladd moch hefyd, a rhyw ddydd dyma'r Sais heibio i ofyn am ei wasanaeth. Atebodd y Cymro:
'I'm going to kill myself today, and I'll come and kill you tomorrow.'

* * *

Pêl-droediwr o Ddyffryn Nantlle yn cwyno wrth growndsman yn Wrecsam:
'Dow, the grass is very ffat.'

* * *

Daw plant â gwrthrychau i'r ysgol byth a beunydd. Ar y bore arbennig hwn, daethpwyd â phlu paun i'r ysgol. Manteisiodd yr athrawes ar y cyfle i sylwi'n fanwl arno a'i ddisgrifio'n ddeheuig.

'Wyddoch chi blant,' meddai'n gwbl gydwybodol, 'mae gan y Saeson ddywediad arbennig am yr aderyn yma. Glywsoch chi erioed am rhywun yn dweud **"as proud as a pain"**?'

* * *

Cymro yn mynd i'r garej gan amau fod un olwyn braidd yn fflat ac yn gofyn i ddyn y pympiau, er mawr syndod i hwnnw:
'Have you got any wind?'

* * *

Dieithryn yn gofyn i frawd a chwaer o Gymru os oeddan nhw'n ffrindiau.
'Yes, most times. But sometimes we're paffing.'

* * *

Bugail wedi colli defaid ac yn arafu gyrrwr ar y ffordd rhwng Talyllyn ac Abergynolwyn. Sais oedd y tu ôl i'r llyw.
'Have you seen any ships down the road?'
'Do you mean ships with sails on them?'
'No, ships that eat grasses with JJ on their asses.'

* * *

Cymro yn cwyno bod ei blant yn afreolus:
'They tend to strank a bit.'

* * *

Dillad rhyw hen wraig wedi deifio o flaen y tân, ac yn egluro wrth Sais:
'Mai clódds daifd in ffrynt of ddy ffaiar.'

* * *

Dyn arall yn ceisio gwerthu cwch rhwyfo i Sais ac yn dweud bod y rhwyfau yn newydd:
'The rows are new.'

* * *

Dyn yn mynd i siop ffotograffydd ac yn gofyn:
'Can you pull two pictures of me.'

* * *

Ymwelydd o Sais yn gofyn i rhyw hen wraig ar y stryd yn Llanberis am y ffordd i Fangor, ac yn cael yr ateb:

'Go down to the bottom of the lake, turn right and you will be in Bangor on your head.'

* * *

Ocshwniar wrthi'n gwerthu tair chwadan ac un ceiliog hwyad:

'And here we have three ducks and . . . **be uffar?** *. . . here we have three ducks and one ducker.'*

* * *

Hen wraig yn gofyn mewn siop gig am bwys o iau:

'E pownd of iê.'

* * *

Ffermwr yn dweud ar ôl i injan ei dractor gael ei thrwsio:

'Its noise is all right now.'

* * *

Cymanfa ddirwest yn Nefyn a Sais yn gofyn i hen gymeriad beth oedd ar fynd yn y capel, ac yntau'n ateb:

'Oh it is a sing-song against the beer.'

* * *

Sais yn stopio yn sydyn hefo'i gar a Chymro yn plannu yn syth iddo. Daeth y Cymro allan a dweud:

'You stop-stond you cachwr uffar.'

* * *

Dynes yn galw mewn garej ym Mhwllheli i gael gwynt yn y teiars ac yn gofyn:

'Can I have a couple of puffs in the wheels.'

* * *

Gwraig yn gofyn i hen lanc o Benmachno:

'Are you married?'
'No – I'm a bajar.'

* * *

Hen lanc arall yn trio dweud nad oedd yn briod:

'I'm a "Miss" as well.'

* * *

Hen fugail yn dangos ei gaeau i ryw Saeson:

'Ies, and ofyrdder ai wons sô tŵ rams bytting each other so hard that the chimneys of won fell off.'

* * *

Un yn rhoi cyfarwyddiadau i yrrwr car:

'Cwd iw cym fforward a littyl bit bacwyrds?'

* * *

Un arall yn trio gwneud safiad:
'We'll ffait to the carn.'

* * *

Un arall yn trio codi rhywbeth trwm:
'Duw, it's as heavy as plym.'

* * *

Siopwr, ar ôl derbyn nwydd diffygiol yn ôl:
'We'll have to send it away to be trwshed.'

* * *

Rhywun yn dweud beth oedd i fwyd:
'We've got peas and ffay for dinner.'

* * *

Un arall yn clywed sŵn o'r ffordd fawr:
'Someone is singing his horn.'

* * *

Un yn trio esbonio bod y gystadleuaeth tynnu rhaff wedi cychwyn:
'They're pulling the rope.'

* * *

Disgrifiad o rywun gwenieithus:
'He was smiling nice, nice.'

* * *

Un yn trio deud 'fel yr hed y frân':
'As the fly crows.'

* * *

Un arall yn sôn am yfed ar ôl amser mewn rhyw dafarn:
'They're drinking behind hours there.'

* * *

Gwraig yn cadw siop yn Llŷn yn ateb Sais ddaeth i mewn yn hwyr yn y pnawn gan ofyn:
'Are you closed?'
'No, no,' meddai'n ffrwcslyd, *'we welcome you with open legs.'*

* * *

'Bring his nose in,' meddai'r hen fecanic yn garej Ffôr wrth y Sais oedd â phroblem o dan fonet ei gar. Edrychodd hwnnw fel llo arno – eisiau iddo ddod â 'thrwyn y car' i mewn i'r gweithdy oedd y mecanic.

* * *

Aeth pâr o'r Unol Daleithiau am beint i un o dafarnau Pen-y-groes ac roeddan nhw wedi gwirioni pan glywson nhw'r bobl leol yn dechrau canu. Dyma'r Iancis yn cymell 'mwy, mwy' gan brynu peintiau diddiwedd. Aeth y côr o nerth i nerth, wrth reswm. Ar ôl mynd drwy'r caneuon a'r emynau arferol, 'Be gawn ni rŵan?' oedd y cwestiwn wrth lygadu'r gwydrau gweigion.
'Beth am "Marchog Iesu yn llwyddiannus",' cynigiodd un. Cytunwyd, ond cyn iddynt ei tharo, gofynnodd un o'r Iancis be oedd cefndir y gân nesaf.
'It's a hymn,' oedd yr ateb, *'It's about Jesus on horseback and that he's doing very well too . . . '*

* * *

Roedd ei wraig newydd gael babi.
'Sut mae hi?'
'O – wyddost ti, dipyn bach o **Post Mortem Depression.**'

* * *

Dysgwr o Raeadr Gwy yn argraffu ei gardiau personol yn ddwyieithog, chwarae teg ond yn mynd i dipyn o gors wrth gyfieithu'n llythrennol:

John Jones,
Top Flat,
9 East Street,
Rhayader

nes cael yn y Gymraeg:

John Jones,
Pen Gwastad . . .

* * *

Daeth Sais i fyw i Dal-y-sarn, creadur digon clên, mae'n debyg. Roedd gŵr o'r pentref yn cerdded adref o'i waith mewn storm go arw, a gwelodd y Sais yn cerdded tuag ato.
'*Evening,*' meddai hwnnw, '*Terrible weather.*'
'*Yes,*' oedd yr ateb. '*It's a large night for a small village!*'

* * *

Mae rhai cyfarwyddiadau ffordd yn hen daclau am faglu rhywun. Un o'r brodorion yn ceisio mynegi'r ffordd gywir ac yn gorffen gyda'r berl:
'*Tyrn lefft and iw'l bî rait.*'

* * *

Teithiwr o Gymru yn llyncu'i boeri wrth baratoi i fyrddio'i awyren pan ddarllenodd arwydd wrth yr allanfa:
'*Mae* **Air Bulgaria** *yn gobeithio y cewch chi daith lwcus.*'

* * *

Roedd yr hen wraig yn disgrifio sut oedd coginio pryd arbennig i swper:

'Jyst hollti'r tatws a'r nionod fel hyn a'u rhoi nhw mewn **Castrol dish** *yn y popty.'*

* * *

Roedd Seu, gyrrwr lorri o Uwchaled, ym Manceinion ac wedi bod o amgylch y ddinas rhyw ugain o weithiau meddai o, wedi holi yma ac acw, ond heb ddeall y cyfarwyddiadau a methodd yn lân a chanfod ei ffordd oddi yno. Yn y diwedd, cododd y brêc a pharcio'r lorri yng nghanol y ffordd a phwyso ar ei gorn.

Ymhen hir a hwyr, daeth plismon blin ato i holi beth oedd yn bod. Ateb Seu oedd:

'I'm lost and my English is finish.'

* * *

Athro ysgol ifanc a ddatblygodd i fod yn arweinydd côr nodedig yn dechrau ar ei fore cyntaf yn ysgol Ramadeg Penygroes yn y tridegau. Gweld chwarelwr yn hwyr i'w waith yn dod yn fân ac yn fuan i'w gyfarfod. Meddyliodd yr athro y buasai'n cyfarch y 'local' yn hwyliog.

'Spring in the air!' meddai.

'Spring in the air yourself!' meddai'r llall.

* * *

Diwrnod yr helfa fawr flynyddol oedd hi ar Stad y Foelas a chyfle unigryw i rai o'r tenantiaid gynffonna'r meistr tir. Aeth un ffermwr at y Cyrnol a'i gap yn ei law, ysgwyd ei law a gofyn yn serchog:

'How do you do? And how do you do the missus?'

* * *

Y blaenor yn cyhoeddi yn y capel un Sul ac yn penderfynu baglu drwy chydig frawddegau Saesneg er mwyn plesio rhyw Sais oedd wedi dod i eistedd yn y cefn.

'*Now we will have the collection. John Parry will go to hel that side and William Davies will go to hel the other side. The preacher next week is hanging in the porticyl.*'

Yna, troi'n ôl i'r Gymraeg gyda rhyddhad:

'Well i mi dewi rŵan.rhag ofn i mi neud bôls ohoni.'

* * *

Hogyn wedi cael tipyn i'w yfed yn mynd at 'fisityr' mewn tafarn.

'Sciws mi, haf iw got a ffaiyr?'

'I beg your pardon young man, I think you mean a light.'

O, ies, I'm sori, – I dônt sbîc gwd England.'

* * *

Un o'r hen chwarelwyr wedi syrthio a brifo a hynny wedi gadael craith go hegar ar ei dalcen. Roedd yn eistedd yn y *Victoria* ym Mhenygroes hefo'i fêt pan gerddodd llawfeddyg reit adnabyddus i mewn.

Dyma'r mêt yn troi ato a deud y basa'r llawfeddyg yn gallu grafftio croen newydd ar y graith iddo a'i chuddio.

Cododd yr hen fachgen a gofyn i'r doctor faint fuasai triniaeth o'r fath yn 'i gostio.

'Three guineas,' meddai hwnnw.

Aeth yr hen fachgen i'w boced a gweiddi ar y tafarnwr.

'Wil. Rho dair potel o **Guinness** i hwn!'

* * *

Galwad yn dod i stafell reoli Pŵerdy Tanygrisiau o bencadlys y cwmni yn Coventry yn gofyn i'r derbynnydd adael neges gyda Gareth, un o'r gweithwyr, ac iddo ffonio rhyw rif arbennig yn ôl pan fyddai'n gyfleus iddo. Gareth yn ymateb i'r cais ac yn ffonio'n hwyrach yn y dydd, a'r ferch ar yr ochr arall yn gofyn pwy oedd wedi gofyn iddo wneud: '**I don't know,**' meddai, '**It was an unanimous phone call.**'

* * *

Roedd y fam newydd wedi arfer mynd o gwmpas y dre yn ateb y cwestiynau amlwg drwy ddweud:

'O, braf iawn. Wedi mopio 'mhen yn lân.'

Ond un diwrnod, cafodd yr un cwestiwn yn Saesneg a'i hateb oedd:

'Yes, fine – I'm a moping mother.'

* * *

Roedd un o gynghorwyr Môn yn cael ei gyhuddo o fyw mewn tŷ rhy grand o'r hanner. Yn ôl un o'r gweithwyr fu'n codi'r tŷ:

'Roedd 'na fathrwm ym mhob llofft – a Suzuki ym mhob un!'

* * *

Ar ryw gwrs i Ddysgwyr yng Nglan-llyn aeth un o'r swyddogion i mewn i stafell wely'r myfyrwyr a dweud wrthyn nhw am dacluso'r lle:

'Plygwch y cynfasau.'

Rhyw olwg, *'You what?'* oedd ar wyneb pob un o'r dysgwyr, felly dyma'r swog yn cyfieithu ei lein yn y fan a'r lle:

'Bend the sheets.'

* * *

Hen wreigan a'i gwallt yn glaer wyn yn gofyn i ferch drin gwalltiau mewn siop yn y dre i roi lliw 'blonde' arno, a'r ferch yn ceisio'i gorau i'w pherswadio na fasa'n ei siwtio. Ond doed a ddêl, roedd yr hen greadures yn daer am newid ei delwedd, a'r ferch ifanc yr un mor bendant na fyddai'n mentro gwneud llanast o'i phen. Roedd fy ngwraig innau yn eistedd mewn cadair arall, ac yn ceisio bod yn ddiplomatig, ac yn dweud wrthi fod gwallt gwyn yn ddigon derbyniol, ac mod i, ei gŵr efo gwallt gwyn ers blynyddoedd. *'Ia, mae'n iawn ar ddynion tydi,'* meddai, *'Ma' nhw'n edrych yn* extinguished *efo gwallt gwyn.'*

* * *

Un arall, wedi bod yng Nghyprus am bythefnos o wyliau yn cwyno ei bod wedi blino ar ôl dod adre, a bod effaith y *Jet Leg* arni.

* * *

Un arall o'r cydweithwyr clapiog yn yr iaith fain oedd Bobi Twm, yn disgrifio sut oedd un o'r gweithwyr wedi colli pwysau, ac yn dweud wrth Sais iddo weld mor denau oedd

coesau Dafydd, 'and his *ffêrs* were very thin,' ychwanegodd.
Dyma'r un a ddywedodd wrth yr un Sais nad oedd *'ear on the
cup'* am gwpan heb glust arni.

* * *

Roedd yna deulu o Saeson yn bwyta yn y dafarn leol yn
Nhrefor pan ruthrodd ci y lle atynt yn glyfeirio dros eu coesau.
Dyma un ohonynt yn gofyn: *'Who's dog is this?'* Atebodd
hogyn lleol yn ei Saesneg gorau:
'Here's'!

* * *

Barman di-Gymraeg y dafarn uchod yn gofyn i'r gŵr 'ma ble
roedd ei wraig heno. Dyma'r gŵr yn ateb:
'She's got the Women of the Dawn tonight.'

* * *

Barman Clwb Trefor yn tacluso un noson cyn i'r prysurdeb
mawr ddechrau. Dyma fo'n gofyn i'r Sais:
'Pass me the tymffyt please!'

* * *

Hogyn lleol yn cael y bai ar gam am rechan mewn bwyty yng
Nghaernarfon gan y perchennog di-Gymraeg gwyllt gacwn.
Credem hyd heddiw ei fod wedi ceisio dweud:
'Hey, no it wasn't me, it was them.' Ond dyma beth
ddywedwyd:
'Hoi . . . him's'!

* * *

Tad lleol yn cael sgwrs dros baned gyda'i gymydog di-
Gymraeg yn cwyno pa mor flêr yw ei fab bychan wrth fwyta:
'He's always poitshing!'

* * *

Hen wraig yn sylweddoli fod un o'i theiars yn isel ac angen gwynt. Dyma fynd i'r garej agosaf a gofyn i'r gŵr:
'Excuse me, do you have a wind pipe?'

* * *

Gwraig tŷ yn gofyn i ddyn glanhau ffenestri:
'Could you clean my landers as well?' wrth gyfeirio at y landeri.

* * *

Sais yn gofyn i weithiwr yn y chwarel:
'Where's your boss?'
Yr ateb oedd: *'He's over there in the green ffedog.'*

* * *

Wedi colli peint tros y bwrdd, dyma'r gŵr ifanc yn gofyn i dafarnwr:
'Do you have a clyt?'

* * *

Gwas ffarm yn Sioe Llanelwedd am y tro cyntaf wedi cymeryd ffansi at y teisennau Almaenig (!) o'r enw *'dogenhoits'*, cyn i bawb sylweddoli mai **doughnuts** oeddynt!

* * *

Gŵr ar Radio Cymru yn hel atgofion am oleudy Pwynt Lynas, Chwefror 2008.
'Fy nhad oedd y prif geidwadwr yn y goleudy.'

Cyfraith, Trefn ac Anhrefn Llwyr

Mae llys barn, ynghyd â'r nerfusrwydd a'r angen i siarad ar y pryd sy'n perthyn i'r fan honno yn lle da i glustfeinio am lithriadau go lew. Yn arbennig felly os ydi'r rhai sy'n holi neu'n rhoi tystiolaeth yn siarad mewn iaith nad ydyn nhw wedi arfer â hi. Mae adroddiadau ar y cyfryngau am achosion llys yn medru bod yn ddarllediadau difyr hefyd.

Aelod o Heddlu'r Gogledd yn rhoi tystiolaeth mewn llys:
   'A dyma fo'n dod a thaflu bricsen drwy ffenest y car nes ei malu hi'n symbarins.'

* * *

Tra'n amddiffyn diffyg canlyniadau Heddlu'r Gogledd wrth ddal troseddwyr yn ddiweddar, dywedodd y Prif Arolygydd Gwyn Williams fod yr heddlu yno wedi bod:
   'Yn canolbwyntio ar ddwyn ceir a thorri i mewn i dai.'

* * *

Rhywun wedi clywed hanes swyddogion cudd yn torri i mewn i swyddfeydd Padi Ashtown a Kinnock a gwleidyddion eraill rai blynyddoedd yn ôl:
   'Mae'r M.F.I. yna yn brysur iawn y dyddiau hyn.'

* * *

A dyma'r newyddion . . . (pigion o wahanol fwletinau Radio Cymru):
   'Cafodd y saith eu dirywio.'

* * *

'Yna cafodd ei ddwyn i Swyddfa'r Heddlu lle cafodd ei groeshoelio gan y plismyn.'

* * *

Roedd achos llys yn cael ei gynnal yn y Gymraeg a phob mathau o honiadau yn cael eu rhoi ger bron. Toc, dyma gyfreithiwr ar ei draed a gofyn:

'Pwy sy'n gwneud yr aligeshons hyn?'

A dyma 'na blismon tew yn codi ac ateb:

'Y fi ydi'r aligetor.'

* * *

'Deëllir fod yr heddlu eisiau holi'r gŵr saethwyd yn farw yng Ngogledd Iwerddon ddoe.'

* * *

Mae'n rhaid ei bod hi'n ddiwrnod go fflat ar y llinellau picedu gan i'r gohebydd sôn am *'heddlu yn ymladd gyda phlismyn'*.

* * *

Roedd plismon yn arestio aelod o Gymdeithas yr Iaith un tro ac wrthi'n llenwi ffurflen oedd yn cynnwys disgrifiadau personol. Saesneg uniaith oedd y ffurflen felly roedd rhaid i'r plismon gyfieithu gorau y medrai wrth fynd rhagddo.

'Y . . .*eyes* . . . y be ydi lliw dy lygaid di.'

'Glas.'

Ond gan ei fod wedi ffwndro cymaint rhwng y ddwy iaith, nid *blue* a sgrifennodd ar y ffurflen ond *glass*!

* * *

Pictoniaeth

Mae'r gyfres boblogaidd C'MÔN MIDFFÎLD yn gyfrifol am sawl ymadrodd bachog sydd wedi cydio yn nychymyg a glynu ar dafodau amryw o'r gwylwyr. Pa dîm rygbi neu bêl-droed Cymraeg ei iaith bellach nad yw'n sôn am 'dic-tacs' cyn y gêm? Neu'n rhoi'r floedd 'Rhowch HEL iddyn nhw!' wrth redeg allan ar y maes chwarae. A ffanciw i'r reffari, mae hi'n gfeisus ar lawer ohonyn nhw yn reit aml hefyd. Ac ar ddiwedd tymor, mae'n rhaid cael rhyw esgus i ddathlu – hyd yn oed os mai Penmaenmawr fydd ei hanes hi fory. Hei, pwy sy'n insinyretio'r ffasiwn beth?

Dyma ambell ymadrodd blasus arall i'ch cadw'n ddiddan, gyda diolch i Ffilmiau'r Nant am y casgliad.

Wali
Tydw i ddim mor ddwl a ma' pobol yn feddwl. Mi fues i mewn ysgol sbesial, a tasa Mam wedi cael ei ffordd mi fyswn i wedi cael aros yno hefyd.

* * *

Wali
Mi roeddwn i'n fawr pan o'n i'n fach.

* * *

Arthur Picton
Doedd yr Hollalluog ddim cweit wedi rhoi'r *finishing touches* pan greodd o Wali.

Wali
Mi roedd Mam isio i mi ddysgu chwarae'r ffidil unwaith.
Tecs
Yehudi Menhuin, Wali?
Wali
Mae'n siŵr y bydda' i erbyn hannar awr wedi deg.

Wali
A dyma chi'r llewpart. Mi fasa rhai pobol yn deud mai rhyw felyn ydi o hefo sbotia du. Ond falla mai du ydi o efo cylchoedd melyn. Diddorol 'te.

* * *

Wali
Mae gwybodaeth Mr Picton yn gyffredinol iawn, iawn, i ti gael dallt.

* * *

Arthur Picton (wrth y gweinidog)
Ai brawd fy ngôl-geidwad ydwyf fi Mr Jôs?

* * *

Wali ac Arthur Picton yn trafod priodas Sandra a George:

Wali
Y babi. Pêl-droediwr bach arall i'r teulu. Meddyliwch un mor dda fydd o, efo'ch brêns chi a traed George.

Arthur Picton
Ia, ond be tasa fo'n cael brêns George a thraed Elsi.

* * *

Arthur Picton
Dwi isio sgwennu erthyl i'r papur bro.

* * *

Wali (wrth drafod Vaughan Hughes)
Fo sy'n cyflwyno o Vaughan i Fynwent ac Arolwg Un-deg-un.

Byd y Bôls

Mae gan gyflwynwyr chwaraeon gasgliad da o eirio'n gam fel rheol – mae hynny'n rhan annatod o'u gwaith gan eu bod yn gorfod ymateb yn sydyn ac ar y funud i'r hyn sy'n digwydd. Meddai John Snagge, yn llawn cyffro, wrth ddisgrifio'r Ras Gychod ar Afon Tafwys ar y radio:

'Wn i ddim pwy sydd ar y blaen – does 'na ddim ynddi – mae o naill ai'n Rhydychen neu'n Gaergrawnt.'

* * *

Aelod arall o Uned Chwaraeon y BBC yn sylwebu ar un o brif seremonïau'r Brifwyl ac yn teimlo braidd yn nerfus. Roedd wedi cael ei rybuddio mai'r ymadrodd cywir oedd 'canu telyn' ac nad oedd i sôn am chwarae telyn. Ar ganol y seremoni daeth y delynores at y delyn ac yn ei nerfusrwydd yr hyn a glywyd oedd:

'Dyma Ann yn chwarae te . . . nnis.'

John Evans ar 'Post Prynhawn':
*'Mae'r Undeb Rygbi wedi codi'r gwaharddiad ar Adrian Owen
– fe gaiff chwarae yn unionsyth.'*

'Mae'r rheolwr yn agor ei goesau a dangos ei fantais.'
Rhan o fytholeg darlledu, ond John Evans eto yn ôl pob sôn.

* * *

Robat Powell o'r 'O'r Newydd' wrth gyfeirio at Gwpan y Byd:
*'Does 'na neb yn ystyried y pêl-droedwyr eu hunain, sy'n
gorfod chwarae chwe neu saith mil o droedfeddi uwchben y
ddaear.'*

Roy Owen, wrth drafod hawliau merched ar 'Byd yn ei le':
  'Lle fasa Torville heb Dean!'

* * *

Alun Williams ar Radio Cymru:
  'Terry Holmes yn awr yn mynd ar ei ben ei hun – a rŵan Terry Holmes yn pasio allan.'

* * *

Nic Parry pia hon:
  'Ac mae Clive Thomas, y dyfarnwr, wedi codi ei goes i ddechrau'r ail hanner.'

* * *

Roedd hogyn ifanc o Borthmadog wedi arwyddo i chwarae i sgwad ieuenctid tîm proffesiynol fel gôl-geidwad, a dyma'r tad yn gofyn i reolwr y tîm lleol tybed a fuasai'n fodlon i'r bachgen ymarfer ei dalent efo trydydd tîm Porthmadog:
  'Er mwyn iddo fo gael profedigaeth.'

* * *

Dai Davies ar Radio Cymru yn honni:
  'fod y llumanwr wedi gwneud camgymeriad anghywir.'

* * *

Cymraeg Crand

Sylw a glywyd yn ystod tywydd oer:
  'Da ydi'r gwres calonnog yma.'

* * *

Dyn yn canmol ei stof losgi coed:
'*Dwi 'mond yn taro ambell fonclust i mewn, ac mi barith drwy'r nos.*'

* * *

Aeth gwraig i swyddfa Gwasanaethau Gwirfoddol Gwynedd a holi:
'*Chi 'di'r Dyn Dan Anfantais Meddyliol?*'

* * *

Rhywun yn cyfeirio at ddyn du fel:
'*Dyn twyllodrus ei groen.*'

* * *

Rhywun yn sôn am gael hysbysrwydd i ryw ddigwyddiad gan feddwl rhoi'r wybodaeth yn y papurau ac ar y radio:
'*Fuasai ddim yn well inni adael i'r cyhyrau wybod?*'

* * *

Gŵr yn mynd i swyddfa'r cyngor i dalu ei fil dŵr. Gofyn yn y dderbynfa am '*y lle dŵr*' a chael ei hun yn y *tŷ bach*.

* * *

Roedd rhai o hogiau'r ysgol yn ddigywilydd a di-ddysg yn nosbarthiadau rhai o'r athrawesau. Dyma'r prifathro yn galw dyrnaid o'r drwg-weithredwyr ato a'u hannerch:
'*Dwi'n dallt eich bod chi wedi bod yn cambyhafio efo fy mistresus i.*'

* * *

Ond yn ôl hogan fach o Lansannan, roedd Ioan Fedyddiwr:
' . . . *yn bwyta Methodistiaid a mêl gwyllt.*'

* * *

Dyn yn tynnu raffl ac yn cyhoeddi mai'r wobr nesaf fyddai:
   '*. . . plentyn mewn pot.*'

* * *

Dyma glywir ar ddechrau sawl pwyllgor:
   '*Gawn ni glywed y munudau os gwelwch chi'n dda?*'

* * *

Roedd geneth o ardal y Port yn darllen o'r Beibl yn y Capel un
dydd Sul a dywedodd fod Ioan Fedyddiwr yn gwisgo gwregys
o groen camel ac yn bwyta:
   '*. . . lwcosêd a mêl gwyllt.*'

* * *

Plentyn yn disgrifio hanes yr Israeliaid yn dianc o'r Aifft mewn papur arholiad.

'Yna, daethant at lan y Môr Coch a dyma Moses yn codi'r ffôn . . . '

* * *

Roedd un capelwr yn digwydd darllen o'r drydedd bennod o'r Efengyl yn ôl Mathew sy'n sôn am fedydd yr Iesu. Pan ddaeth at yr adnod, – 'Yna daeth yr Iesu o Galilea i'r Iorddonen at Ioan i'w fedyddio ganddo,' – yn dalog, ac heb fod yn ymwybodol o unrhyw lithriad, darllenodd –

'Yna daeth Iesu o Galilea i Iwerddon at Ioan i'w fedyddio ganddo.'

* * *

Byddai blaenor mewn capel arbennig yn aml yn dweud rhyw air yn y Gobeithlu, a rhyfeddodau byd natur yn cael lle amlwg ganddo.

Wnaeth o ddim deall unwaith pam fod sawl un o'r oedolion a'r plant hŷn yn gwenu'n braf pan fyddai'n sôn am y dail llosgi rheiny a'u galw'n:

'ddannadd poethion'

a phan fyddai gwylan y môr yn troi'n

'chwannan y môr'

a glöyn byw yn

'blewyn byw'.

* * *

Plant yn cyd-adrodd Gweddi'r Arglwydd ac yn gorffen bob tro gyda'r geiriau:

' . . . yn oes oes oes, Amen.'

* * *

Wrth ledio emyn, cyhoeddodd y darllenydd y llinell gyntaf:

'Rhy bell i weld y dydd yn dod.'

* * *

Fe wyddoch yn iawn am yr emyn:

'Un a gefais i mi'n gyfaill
Pwy fel Efe!'

Nid dyna'n union a glywyd gan ddosbarth y babanod mewn un ysgol. Yn hytrach, roedden nhw'n canu'r geiriau:

'Un a gefais i mi'n gyfaill
Pwy fel me me!'

Sy'n atgoffa rhywun am yr hogyn bach yn canu 'Iesu Tirion'. *'Wrth fy Wendy trugarha,'* roedd o'n ei ganu bob amser. Roedd ganddo chwaer o'r enw Wendy.

* * *

Pregethwr mewn cyfarfod diolchgarwch oedd wedi anghofio'r gair 'gogoneddus':

'A gawn ni ddiolch iti, Dduw mawr, am yr holl feddyliau godinebus a gawsom yn ystod y flwyddyn ddiwethaf . . . '

118

Y Gobeithlu mewn capel yn Stiniog, a mynd da ar bethau yno –
llond y lle o blant o wahanol oed, a'r canu'n hwyliog ac yn
uchel. Roedd yna fynd da iawn ar un gân ac iddi'r corws – 'Pêr
Hosanna', – a phawb wedi ymollwng i'w chanu, gan ddyblu a
threblu'r corws gydag afiaith.

Ymhlith y plant lleiaf roedd yna un hogyn yn canu nerth
esgyrn ei ben, ei geg yn llydan agored a'i lygaid wedi'u cau –

'*Pâr o sanna! Pâr o sanna!*'

* * *

*Mae'r cyfraniad olaf yn glasur. Mae'r stori hon eisoes yn
boblogaidd yn nhafarnau'r Port a chafwyd cadarnhad ohoni
gan Meilir Owen yn ddiweddar.*

Meilir yw rheolwr tîm pêl-droed Port. Pan oeddynt yn chwarae
yn Llanrwst, Meilir siaradodd gyda'r hogia cyn y gêm gan
ddweud:

'Agwedd sy'n bwysig, mae angen agwedd iawn at y gêm.'
Yna, ar hanner amser, dyma fo'n dweud eto:

'Rhaid i'ch agwedd chi fod yn well na hyn.'
Sylwodd fod un o'r chwaraewyr yn edrych yn wirion arno a
gofynnodd iddo a oedd yn gwybod beth oedd ystyr agwedd.

'*Yndw siŵr iawn,*' meddai hwnnw, '*agwedd yw fy Mugail, 'de.*'

* * *

Ffermwr o dde Cymru yn Sioe Stoneleigh yn sôn am y wefr o fagu gwartheg o safon:
'*Wi'n joio gweitho 'da da da . . .*'

* * *

Llywydd y noson gymdeithasol yn annerch y gynulleidfa (ar noson arbennig o stormus):
'*Mae'n dda cael to wrth ein traed ni ac aelwyd uwch ein pen ni heno eto.*'

* * *

Estynnwyd croesi i athro newydd ar y staff yng ngholofn yr ysgol yn y papur bro:
Croesewir yn gynnes iawn Mr David Frost . . .

* * *

DATGANIAD YN Y MARWOLAETHAU
Jones, Jane gwraig John (ffarmwr), mam annwyl Elin a Huw, nain garedig Sali bach. Arwyl yn yr Amlosgfa dydd Iau, dim blodau. Hefyd dractor ar werth.

* * *

HYSBYSEB
Pâr o esgidiau Ar Werth (9) yr un frown ddim gwaeth na newydd.

* * *

Peth peryglus yw treiglo ar brydiau. Dyna brofiad yr hen ŵr a ddisgrifiodd sut y bu i'r '*hen fygyrs 'na wedi ymosod arna' i*'.

* * *

Ar ôl gwneud cwrs Wlpan, es i i weithio fel gofalydd yn Sain Ffagan. Un diwrnod roedd cwmni yn codi pabell fawr, a chydweithiwr yn gofyn i fi pam. *'Mae Undeb y Mamau yn dathlu pen-blwydd mawr,'* atebais i, *'ac mae'r Archesgob yn dod i gynnal cyfarfod gweiddi.'*

* * *

Stondin ar faes y steddfod a gwraig ddeheuol ei thafodiaith yn gofyn am fag bach i'w roi am y nwydd roedd wedi'i brynu. Bu bron i'r stondinwr gogleddol gael ffit pan ofynnodd hi iddo:
   'Oes gyda chi gwdyn bach?'

* * *

Roedd arweinydd y dosbarth Beiblaidd yn trafod dameg y Deg Morwyn gyda chriw o fechgyn. Ar ôl esbonio ac apelio ar y criw i wynebu'r dyfodol gyda chyfrifoldeb, dyma'r cwestiwn anffodus a ofynnodd:
   'Rŵan 'ta fechgyn, yng nghwmni pwy fuasech chi'n hoffi bod? Y pum morwyn gall yn y goleuni neu'r pum morwyn ffôl yn y tywyllwch?'

* * *

Flynyddoedd yn ôl mewn eisteddfod fach ym Mhen Llŷn, roedd y cystadleuwyr yn paratoi ar gyfer yr unawd cerdd dant. Roedd y testun yn 'agored', felly roedd rhaid i'r arweinydd holi pob cystadleuydd pa ddarn oedd wedi'i osod ac ar ba alaw.
   'Detholiad o awdl Y Bugail,' meddai un cystadleuydd.
   'A'r alaw?'
   'Y Ferch o'r Sgêr.'
   'Dyma ni 'ta,' meddai'r arweinydd wrth y gynulleidfa. *'Mae'r cystadleuydd nesa am ganu am y Bugail ar y Ferch o'r Sgêr.'*

* * *

121

Arweinydd mewn gyrfa chwist yn dechrau colli mynedd efo'r parau oedd wedi gorffen eu gemau ac yn codi rywsut rywsut i symud ymlaen at y bwrdd nesaf. Roedd hi'n flêr, a dyma fo'n taranu ar dop ei lais:

'Wnewch chi i gyd ista i lawr inni gael gweld ble rydan ni'n sefyll.'

* * *

Am gyfnod, bu Cen Llwyd yn gweithio i'r cylchgrawn merched *Pais*. Galwodd mewn siop i egluro'r hyn oedd ar droed, cyn lansio'r cylchgrawn, gan ddweud y dychwelai i gasglu archebion.

Ymhen y mis roedd yn ôl yn yr un siop.

'Bore da, rwy' wedi dod yma ar ran *Pais*,' meddai i atgoffa'r siopwraig.

'Pais?' meddai honno, mewn penbleth, *'Porc pais?'*

* * *

Dyn ar y radio yn sôn am forfilod yn y môr o amgylch ynysoedd Prydain:

'Mae 'na ambell i un wedi cael ei weld ym Mae Cerrigydrudion.'

O Flaen y Dosbarth

Mae athrawon – a phrifathrawon o flaen cynulliad yr ysgol ben bore – yn medru bod yn adlewyrchiad digon gwantan o werth y system addysg o dro i dro!

Prifathro ar derfyn y gwasanaeth boreol yn gwneud sylw neu ddau ynglŷn â disgyblaeth ac ymddygiad:

'Dwi wedi gweld fod cotiau anaddas yn dod i'r ysgol, a dwi wedi siarad efo un.'

* * *

'Mae 'na un neu ddau wedi clywed arogl, a dwi isio gwybod lle maen nhw wedi ei weld o.'

* * *

'Allwch chi ddŵad â nhw rhwng rŵan a dydd Gwener, neu cyn hynny?'

* * *

'Gawn ni gyd-ganu gyda'n gilydd?'

* * *

'Os 'dach chi ddim yn byhafio, mi fydda' i'n ehangu'r gwasanaeth ac mi gawn ni garol ecstra.'

* * *

Wrth gyflwyno emyn yn y gwasanaeth boreol:
'Mae'r emyn nesaf yma gan Anon.'

* * *

Roedd y prifathro'n taranu yn y gwasanaeth fod y plant yn amharod i ganu:
'Dw i eisiau clywed pawb yn canu'r emyn nesa 'ma, ac mi fydd yna DRWBWL a HELYNT OFNADWY os na wnewch chi ganu. Reit, dyma ni 'ta – Efengyl Tangnefedd.'

* * *

'Mae 'na un wedi bod yma ers dydd Llun heb gôt nac enw.'

* * *

'Yn anffodus, mae'n ddiwrnod ewyllys da heddiw, ond oherwydd y mabolgampau 'dan ni wedi ei ohirio fo tan ddydd Llun.'

* * *

Dro arall:
'Dan ni wedi cael ein beirniadu'n hael ofnadwy.'

Cyhoeddiad wedyn:
'Mae Mr Jones eisiau gweld pawb efo'i offeryn . . . '

* * *

Roedd ffenestri wedi cael eu torri yn yr iard, ac roedd y prifathro yn dwrdio'r plant y bore canlynol:
'Ia, dwi'n gwybod yn iawn pwy sydd wrthi – chi'r hogia efo'r peli mawr. You know, don't you, that big balls are not allowed in the yard.'

* * *

Dro arall:
'Byddaf yn gofyn i'r gynulleidfa haneru eu hunain.'

* * *

'Roedd y cyfanswm dros fil a chant o bunnoedd, ond erbyn hyn yn dri chant a mil.'

* * *

'Mae gen i ddau nodyn wedi dod ar y ffôn.'

* * *

'Transport problem – problem drafnidiaeth yw'r nesaf. Os oedd plentyn neu fys efo problem dewch i 'ngweld i.'

* * *

'Dan ni'n ailgyffwrdd yn yr awenau.'

* * *

Ar ddechrau tymor:
'Dan ni'n cychwyn fel 'dan ni'n mynd ymlaen . . . '

* * *

Wrth groesawu disgyblion newydd i'r ysgol ym mis Medi:
'Gobeithio y byddwch yn hapus yma, ond ddim yn rhy hapus.'

* * *

'Gawn ni gydweddïo – a dwi eisiau clywed mwy o sŵn na bore ddoe.'

* * *

Wrth sôn am rywbeth nad oedd mewn bodolaeth bellach:
'Mae o wedi mynd allan o gorffolaeth.'

* * *

'Mae'r plant ar hyd y coridors a fedrwn ni ddim caniatáu hyn achos 'di'r coridors ddim yn drwchus iawn.'

* * *

'Dwi ddim eisiau gweld neb yn hongian o gwmpas y drysau.'

* * *

'Os y cewch chi eich dal yn siarad yn yr arholiad, mi fydda' i'n canslo'ch papur ac mi fyddwch yn cael nôt. Pob lwc i chi yn yr arholiadau.'

* * *

Wrth sôn am y Coleg Trydyddol:
'Maen nhw isio hel plant y chweched dosbarth i'r Coleg Trydanol.'

* * *

Gan gyfeirio at golli'r chweched dosbarth o dan y cynllun trydyddol fel hyn:
'Mae'r ysgolion i golli eu pennau.'

* * *

Wrth sôn am ddillad disgyblion:
'A be dwi wedi sylwi ydi fod hogia ddim gwahanol i genod.'

* * *

Cwynodd un prifathro fod plant yn sefyll ym mhen blaen y bysiau ar eu ffordd i'r ysgol:
'Mae'r plant yn sefyll yn tu blaen y bỳs ac yn rhwystro'r dreifar rhag gwneud ei fusnes.'

* * *

Roedd y panel yn trafod cymwysterau merch ifanc oedd yn ymgeisio am swydd yn yr ysgol, ac yn sydyn gofynnodd y prifathro:
'Beth yw ei chyfleusterau hi?'

* * *

Dro arall:
'Hogan oedd o?'

* * *

Cafwyd trafferth mewn ysgol uwchradd pan gyrhaeddodd athrawes ifanc braidd yn dinboeth y sefydliad. Anesmwythwyd llawer o'r athrawon gwrywaidd ac roedd storïau ei bod yn gweld rhai o hogiau hŷn y chweched dosbarth y tu allan i oriau'r ysgol a hyn a'r llall. Bu raid i'r prifathro roi adroddiad i'r llywodraethwyr a dywedodd ei fod eisoes wedi ceisio ei disgyblu:
'Wi wedi'i chael hi ddwywaith ar y carped yn barod,' meddai, heb wên ar ei wyneb.

* * *

Mewn cyfarfod staff:
'Mae cymaint o lyfrau yno fel bod y lle fel cwt mochyn!'

* * *

'Mae ganddon ni broblem efo'r mewnforio – mae 'na 7 neu 8 o Saeson wedi dod i ddosbarth 3.'

* * *

Soniodd un prifathro am gyn-ddisgybl oedd wedi:
' . . . mynd yn uchel efo Shell.'

* * *

Yn ystod chwaraeon yr ysgol, dywedodd berl arall wrth gyhoeddi manylion y ras glwydi:
'A dyma ganlyniadau'r ras glwydo . . . '

* * *

Meddai un tro, wrth roi trefn ar ganlyniadau chwaraeon yr ysgol:
'Dan ni'n aros am ragolygon y ras olaf.'

* * *

Roedd rhai o'r plant yn nôl concyrs oddi ar goed y tu allan i'r ysgol gynradd yn y dref, lle'r oedd Eifion Parry yn brifathro. Siarsiodd prifathro'r ysgol uwchradd ei athrawon yn ystod un cyfarfod:
'Dywedwch wrth y plant am beidio dwyn concyrs Eifion Parry.'

* * *

Bachgen yn gweiddi siarad ar y prifathro. Yntau'n ateb:
Dwi'n medru dy glŵad di'n iawn machgen i wyt ti'n meddwl 'mod i'n ddall?'

* * *

127

Eto fyth:
'Dydi'r plant ddim i chwarae rygbi ar yr iard – a dwi'n dweud hynny wrthych chi mewn gwaed oer.'

* * *

Ac i goroni'r cwbl, dyma ddywedodd un athro wrth ei ddosbarth gan eu hannog i ymdrechu'n galetach:
'Dwi isio gweld mwy o ôl cyboli ar eich gwaith cartref chi cyn ichi'i gyflwyno fo i mi.'

Un Peth ydi Gweld . . .

Mae'n rhyfedd sut mae geiriau'n stumio weithiau rhwng eu darllen a'u llefaru. Gall y llygaid weld un peth ond gall y geg ddweud rhywbeth gwahanol iawn.

Gwraig ym Mangor yn darllen poster noson lawen ac yn troi at ei chydymaith:
'Pwy ydi'r Tecwyn Ifanc 'ma?'

* * *

Rhyw dro yn y pumdegau gofynnodd ffermwr di-Gymraeg o dde sir Benfro, a chanddo ddiddordeb yn y da pluog:
'You're from the North; can you get me some information on that French Company at Pwllheli.'
'What is its name?' holodd yntau.
A dyma'r ateb:
'DEORFFA de ARFFON!'

* * *

Noson 'Plant mewn Angen'
Sulwyn: 'Ac y mae cyfeillion wedi cyfrannu ci mawr de-luxe blewog i'w werthu . . . '
Hywel Gwynfryn: *'Ci Dulux wyt ti'n feddwl, ynde?'*

* * *

Sulwyn ar ei stondin:
' . . . ac mae'r cais nesaf i Lilac Ifan Jones. Jawch eriôd, 'na enw od! LILAC Jones! Jiw, jiw!

Yna wedi i'r record orffen, clywyd llais ymddiheurol y Stondinwr:

'Rw' i newydd sylweddoli mai cais i Lil ac Ifan Jones oedd y cais ola' 'na i fod!'

* * *

Daeth torfeydd i Benmaenmawr yn ystod un Mehefin er mwyn gweld seremoni agor y promenâd newydd yno. Roedd 'na rai yno'n ddisgwylgar yn edrych ymlaen at weld yr agorwr swyddogol, Prins Edward – ond dipyn o siom gawson nhw oherwydd Prys Edwards ddaeth yno.

* * *

Cyflwynwraig ar Radio Cymru yn sôn am raglen ar y clefyd diciâu:

'Ac ar y rhaglen "Canllaw" heddiw, bydd eitem ar diciau.'

* * *

Hogyn bach o'r Waunfawr yn darllen y papur Sul ac yn cynnau'r teledu gan ddisgwyl gweld homar o ffilm antur yn y gofod o'r enw . . .

'Morning Wôr-ship.'

* * *

Yn ystod y tywydd mawr un gaeaf, roedd adroddiad yn sôn am fel y cludwyd gwraig feichiog o bentref yn nhopiau Dyffryn Conwy, mewn helicopter o *'Ysbyty Iran'* i Ysbyty Gwynedd. Tipyn o daith!

* * *

Richard Rees yn darllen hysbyseb ar 'Sosban':

'Cofiwch am Ŵyl Godre'r Eiffyl . . . '

O'r Swyddfa Lwfans

Dyma ambell ddyfyniad diddorol:
'Mae arna i isio pres i gael llaeth i'r babi. Dydi'r tad ddim yn medru'i gynhyrchu o.'

* * *

'Tybed ga' i bapur i dalu i fynd at y deintydd. Mae fy nannedd blaen yn berffaith iawn ond mae'r rhai sydd yn fy nhu ôl yn brifo'n gythreulig.'

* * *

'Anfonwch ffurflen i mi gael llefrith rhad os gwelwch yn dda, i mi gael babis yn rhatach.'

* * *

'Anfonwch ffurflen i mi gael llefrith rhad os gwelwch yn dda. Mae gennyf fabi dau fis oed a wyddwn i ddim am y peth nes i gymydog ddweud wrthyf i.'

* * *

'Yn unol â'ch cyfarwyddiadau, rhoddais enedigaeth i efeilliaid yn yr amlen amgaeëdig.'

* * *

'Mae arnaf eisiau arian yn ddrwg, cyn gynted ag y gallwch eu hanfon. Yr wyf wedi bod yn y gwely dan y doctor ers wythnos, a dydi o ddim yn gwneud dim daioni i mi, ac os na wellith pethau, mi fydd yn rhaid i mi chwilio am ddoctor arall.'

Annwyl Syr . . .

Rhannau o lythyrau a anfonwyd gan denantiaid i gymdeithasau tai a chynghorau amrywiol:

1. 'Mae angen trwsio'r cwcyr arna' i, mae wedi bacffeirio a llosgi fy nobyn . . . '
2. ' . . . ac mae eu mab 18 oed yn dobio ei beli'n erbyn y ffens yn barhaus.'
3. 'Hoffwn eich hysbysu fod y teils wedi disgyn oddi ar y to. Credaf mai gwynt drwg y noson o'r blaen fu'n gyfrifol am eu chwythu nhw i ffwrdd.'
4. 'Mae sêt y toiled wedi torri. Lle rydw i'n sefyll?'
5. 'Rydw i'n sgwennu ar ran y sinc sy'n dod yn rhydd oddi wrth y wal.'
6. 'Os gwelwch chi'n dda, fedrwch chi drwsio llwybr yr ardd? Mi faglodd y wraig a disgyn ar ddarn ddoe ac rŵan mae hi'n feichiog. Rydan ni'n priodi ym mis Medi ac mi fasen ni'n hoffi ei chael yn yr ardd cyn i ni symud i mewn i'r tŷ.'
7. 'Fedrwch chi ddweud wrthyf pryd y caiff y gwaith trwsio ei wneud gan fod y wraig am ddod yn fam feichiog.'
8. 'Mae 50% o'r muriau yn damp, mae 50% gyda phlastar diffygiol ac mae'r gweddill yn fudr ofnadwy.'
9. 'Mae'r toiled wedi blocio a fedrwn ni ddim 'molchi'r plant hyd nes y bydd wedi'i glirio.'
10. 'Fedrwch chi anfon dyn i edrych ar fy nŵr i? Mae 'na liw od arno fo a dydy o ddim yn addas i'w yfed.'
11. 'Mae sêt y toiled wedi torri yn ei hanner ac yn awr mae mewn tri darn.'
12. 'Mae gan y dyn drws nesaf godiad mawr yn ei ardd gefn, mae'n hyll ac yn beryglus.'
13. 'Mae llawr y gegin yn damp. Mae gynnon ni ddau o blant ac mi hoffen ni gael un arall. Fedrwch chi anfon rhywun yma i wneud rhywbeth yn ei gylch?'
14. 'Rydw i'n ddynes sengl sy'n byw mewn fflat ar y llawr isaf. Fedrwch chi wneud rhywbeth ynghylch sŵn y dyn sydd uwch fy mhen i bob nos.'
15. 'Anfonwch ddyn yma efo'r twlsyn iawn i orffen y job, a bodloni'r wraig o'r diwedd.'

16. 'Rydw i wedi cael y clerc gwaith ar y llawr chwe gwaith ond dydy o ddim wedi fy modloni i.'
17. 'Dyma adael i chi wybod fod sêt y toiled wedi torri a fedrwn ni ddim derbyn BBC2.'
18. ' . . . ac mae ganddo'r twlsyn mawr yma sy'n ysgwyd y tŷ, a fedra i ddim cymryd mwy.'
19. ' . . . a dyna ei esgus am y baw cŵn, sy'n anodd iawn ei lyncu.'

Llond Ceg

Fyddwch chi'n cael trafferth efo rhyw hen eiriau mawr neu dermau technegol neu enwau tramor? Roedd 'na wraig un tro yn cael blas ar yr hen bethau bach 'na mewn buffets – wyddoch chi, toes gwynt a'u llond nhw o fwyd môr a ballu – ac meddai hi wrth gymdoges, gan lwytho'i cheg:
'Triwch un o'r volvo-vonts 'ma. Maen nhw'n hyfryd!'

* * *

Gŵr yn cynnig am swydd yn y gwaith. Enw crand y swydd oedd *Plant Attendant*. Fe alwyd ef am gyfweliad i'r pwerdy:
'Pa brofiad sydd gynnoch chi?'
'Wel, mi wn i'n iawn beth sydd ei angen ar gyfer y swydd. 'Dach chi'n gweld, mi fuos i'n gweithio am bum mlynedd fel garddwr ym Mhlas Tan y Bwlch!'

* * *

Prifathro o Ddwyfor yn siarad gydag un o'i athrawon pan oedd gweithiwr yn dechrau tyllu'r llawr efo Kango (dyma enw'r ebill ar lafar).
'Mae'r Cwango 'ma'n swnllyd yn tydi!'

* * *

Trip o Benygroes i Twickenham. Cymeriad go ifanc yn y ddinas fawr am y tro cyntaf ac wedi cael rhyw ddropyn i lacio'i dafod.
'*How did you come down?*' meddai rhyw farman.
'*Trên to Heathrow. Then a test-tube here!*'

* * *

Sgwrs yn Nhafarn Pen-y-bont, Llanrwst:
'Glywis di bod Mari yn 'Sbyty Gwynedd?'
'Naddo – be sy'n bod arni?'
'Problema Merched.'
'*Hex-directory?*'

* * *

Bu'r Adran Nawdd Cymdeithasol yn gofidio'n ddiweddar nad oedd llawer o henoed yn ymwybodol o'u hawliau i dderbyn rhyw fudd-dal neu'i gilydd. Cychwynnwyd ymgyrch dan yr enw *Stake a Claim*.
Cawsant alwad ffôn un diwrnod:
'*Fedrwch chi roi manylion y Claim a Steak 'ma i mi?*'

* * *

Clywyd aelod o gangen o'r W.I. yn sôn gyda chryn arddeliad am yr hwyl a gawsai ar y '*Misery Tour*'.

* * *

Hen foi yn sôn am deithio drwy Ffrainc ar gefn moto-beic:
'*Ac wedyn mi aethon ni dros y Pyramids i Sbaen.*'

* * *

Mae 'na amryw yn galw eu ceir yn enwau rhyfeddach na'r rhai gwreiddiol hyd yn oed. 'Pyrsho' neu 'Peugiot' medd llawer un am 'Peugeot', ond clywyd yn ddiweddar am un yn galw ei Sierra yn '*Ford Sahara*'.

* * *

Gŵr o'r Groeslon, yn sôn am bolisïau etholiadol:
'*Mae'n rhaid i ni gael y niwcliar detergent.*'

* * *

Soniodd un ar y pwyllgor am gynnal cyngerdd mewn neuadd arbennig:
'*Mae agnostics y lle yn ardderchog!*'

* * *

Claf wrth feddyg:
'*Dwi'm 'di bod i'r toilet ers dyddia – fedri di roi enamel i mi.*'

* * *

Gwraig ym Mhenrhos, am gael 'portico' uwch y drws:
'*Ew, mi fyddan ni'n grand o'n coua 'ma: ma'r gŵr 'ma am roi Portiwgal ar y drws imi.*'

* * *

Hen wraig yn dweud pam nad oedd yn gallu mynd adref o'r ysbyty:
'*Mae'r doctor 'di deud na fedra' i ddim mynd eto am fod gen i Ulster ar fy nghoes.*'

* * *

Mae'r Saeson yn methu weithiau hefyd. Roedd *consultant* yn gwneud ei *rounds* ac yn dod at y Cymro 'ma. Dyma ofyn i'r Cymro yn y gwely.
'*How do you feel Mr Jones?*'
'Campus Dr Richards.'
'*Well, if you can't piss, you can't go home.*'

* * *

Hen wraig o Fôn oedd braidd yn brin o Saesneg:
*'Mi fydda' i'n hoff iawn o gig moch cartref – ond does gen i
ddim i'w ddweud wrth yr important bêcn yma.'*

* * *

*'Roedd 'na rywbeth o'i le ar ddŵr y tŷ 'ma ac mi aethon nhw â
sampl efo nhw er mwyn gneud lafatri test arno fo.'*

* * *

*'Mae hi'n gorfod mynd i mewn i'r ysbyty bob hyn a hyn er
mwyn cael transistor gwaed.'*

* * *

'Ma'n nhw'n gweud bo' mab Jim Tyisha wedi cael job
commissionaire yn Ivy Bush.'
   'Wel na fe, sdim lot o ddewis i gael y dyddie 'ma a jobs mor
brin; bidde'n well 'da fi i gâl wêj ddeche bob wthnos – So ti
byth yn siŵr gida'r busnes *commission* 'ma, fe elli di gâl
wythnos wael.'

* * *

Ma'r Toris 'ma â'u byse' ym mhopeth – Ti'n gwbod bod y
Cownsil wedi pallu gadel i fi rhoi ffenestri plastig yn y tŷ 'co,
achos bo fi'n byw mewn *Conservative Area.*

* * *

Sgwrs rhwng dau ar Sgwâr Caerfyrddin:
   'Cliwes i bod y trip Ysgol Sul wedi bod yn Dan yr Ogof Cêfs.
Shwd â'th hi 'te?'
   *'O! 'niawn achan, jiw odd e'n werth 'i weld. Grede ti ddim
beth yw hyd y 'satellites' 'na sy'n tyfu sha lawr o'r to.'*

* * *

Dau ffrind yn siarad am golff:
   'Roedd 'na gompytisiyn mawr yn y clwb heddiw.'
   'Be felly?'
   'Compytisiyn yr *Easter Bowl*.'
   'Swn i'n balchach o chwarae am rhyw bowlan siocled.'

* * *

Roedd ffrind i mi yn arfer hela cwningod efo ffured. Roedd wedi cael un claerwyn o rhywle ac yn mynnu i mi fynd i'w gweld.
   'Rhaid i ti ddod i'w weld o, dwi'n meddwl ei fod o'n palamino.'

* * *

Meddai cydnabod sydd wedi mentro i fyd busnes yn ddiweddar:
   'Dwi'n selff-emploid i fi fy hun rŵan.'

* * *

Gwraig o Gaernarfon yn enwi car yn ddiweddar:
   'Triumph 007.'

* * *

Yr un wraig, wedi cael offer dal pupur, halen a finag yn anrheg:
   'Sbiwch be' ges i gan yr hogan 'cw'n bresant: cruelty set ddela' welsoch chi.'

* * *

Merch o Ddyffryn Conwy'n sôn am:
   'The hunch-back of Amserdam.'

* * *

Llanc o Eifionydd:
*'Dwi'n hoff iawn o Jim Reeves a'r Town and Country Music
yma.'*

* * *

Roedd un gŵr wedi cael trawiad ar y galon ac yn cael ei gadw
yn ward y *cronic illness* yn Ysbyty Llandudno. Aeth person arall
i edrych amdano, gan grwydro o amgylch yr ysbyty am oriau
heb lwyddo i gael hyd iddo. Y rheswm dros hynny oedd ei fod
yn gofyn i bob un y dôi ar ei draws ble roedd y *Chronicle* ward.

* * *

Roedd criw o sipsiwn a thinceriaid wedi ymgartrefu mewn lle
parcio yng Nghlwyd ac roedd y cyngor lleol yn traafod y mater.
Taranodd ambell gynghorydd yn erbyn eu blerwch a'u
budreddi, ond dyma un aelod bach yn codi a dweud:
*'Dwn i ddim be ydi'r holl helynt. Dim ond criw o Romeos
ydyn nhw.'*

* * *

Gŵr a gwraig yn canmol y bwyd a gawsant mewn buffet.
'Ond roedd yno un peth nad oeddwn i'n ei hoffi hefyd,'
ychwanegodd y gŵr. 'Hen betha hir, gwyrdd – be oedd eu
henwau nhw hefyd?'
A dyma'r wraig yn ateb:
'Ffercins.'

* * *

Beth ydi 'effluent' yn Gymraeg? Yn ôl y geiriadur, y term am y
llif yma o bwll biswail neu danc carthffosiaeth yw elifiant. Ond
yn ôl un adroddiad, cyhoeddwyd bod . . .
' . . . eliffant yn creu llygredd wrth Amlwch.'

* * *

Un arall yn holi am y trip i Iwerddon:
'*Mynd efo cwch B. and Q. wnaethoch chi, ia?*'

* * *

Boi o Fôn yn ordro peint o hylif du Iwerddon ac yn gofyn yr un fath o hyd:
'*Peint o Jenesus, wach.*'

* * *

Cyflwynydd ar y radio yn cyflwyno rhaglen gerddorol gan y
'*BBC Sympathy Orchestra.*'

* * *

Hen ŵr arall yn gofyn am dabledi i ladd poen.
'*Fedri di roi tabled i mi at y boen, tyrd a rhai disposable i mi, dwi'n cael trafferth llyncu.*'

Gwraig o Goed Mawr adeg y trowyd ei gŵr o fynedfa Feranti gan bicedwyr:

'Ddaru'r gŵr 'cw ddim gweithio heddiw. Mi aeth o at y giât, ond ddaru'r piglets 'i nadu o rhag cyrradd y ffactri.'

* * *

Mam wrthi'n paratoi pizza i'w phlant ac yn gofyn os oeddan nhw eisiau *'origami'* arni hi.

* * *

Dyn wedi cael damwain ac wedi cael *fractured skull,* a'i wraig yn dweud ei fod *'wedi torri* skull *ei goes'.*

* * *

Fy ffrind a minnau yn sôn am stwff o'r enw angelica i addurno teisen 'Dolig. Doedd hi erioed wedi clywed am y fath beth ac wrth ymadael dyma hi'n gofyn:

'Ble mae'r angina yma i'w gweld dywed?'

* * *

Twm, sy'n goblyn o ganwr da, yn paratoi i ganu ei ffefryn – 'Mor fawr wyt ti' – a hynny mewn tŷ potas. Dyma Einion yn ei gyflwyno, 'Mae Twm yn awr am ganu *"Mor fawr wyt ti"* ar y dôn *"Viagra"*!'

* * *

Clywyd yng Nghlwb y Bont, Pwllheli am gogyddes ysgol oedd yn darparu'r pwdin hufen iâ 'Arctic Rôl' i'r ysgol bob hyn a hyn.

Bob tro, yr un fyddai ei disgrifiad ohono:

'Eich ffefryn chi i bwdin heddiw, Mr Roberts – Arsenic Rôl.'

* * *

Roedd hen lanc o ffarmwr yn gwerthu bustach mewn arwerthiant yn Llanrwst rai blynyddoedd yn ôl, ac wrth sgwrsio wrth y gorlan gyda chymydog fe holodd hwnnw:

'Pa frid yw tad y bustach yma Mr Jones? Mae ganddo gonfarmation da, chwarter ôl del iawn.'

'*Oes tybia,*' meddai'r hen lanc. '*Mi ddudodd y dyn AI mai y tarw newydd 'ma y mae pawb ar ei ôl rŵan, y Blond a ciwt tin.*' (Blonde d'Aquitaine – brîd cyfandirol).

* * *

Dwy ferch ysgol gynradd yr ardal yn siarad gyda'i gilydd wedi clywed rhyw stori gan eu rhieni a dyma ddwedodd un wrth y llall:

'*Ti'n gwbod Dafydd Llafar y Lli? Mae o wedi newid job 'sti, mae o wedi mynd i weithio at yr U.F.O.*' (F.U.W. oedd hi'n feddwl!)

* * *

Dynes yn disgrifio taith i Fangor:

'*O'n i'n mynd wrth Barc Menai a dyma 'na antartic fawr yn tynnu o mlaen i!*'

* * *

Roedd gŵr wedi bod yn yr ysbyty:

'*Do cofia, ro'n i'n cael traffa'th efo fy mhrostitiwt gland.*'

* * *

Sgwrs uwchben y gyfrol *Tywysyddion Eryri*:

'Be ydi "tywysyddion"?'

'*Wn 'im. Os nad ydi o'n rwbath i neud efo tywydd.*'

* * *

Rhywun ym Mhowys yn cyfeirio at Goleg Addysg Bellach y sir fel:

'*The College of Further Frustration.*'

* * *

Un arall mewn trafferth efo termau'r nawdd cymdeithasol ac yn cyfeirio at ei 'invalidity benefit' fel *'infidelity benefit'*.

* * *

Parti o ddysgwyr mewn ysgol yn yr hen Sir Feirionnydd yn canu un o ganeuon Trebor Edwards. Ond nid 'Un dydd ar y tro' oedd ganddyn nhw. Yr hyn a glywyd yn glir gan y parti oedd:

'Un dyn ar y tro!'

* * *

Roedd clwb rhedwyr yn cyfarfod yn rheolaidd ac yn rhedeg ar hyd gwahanol lwybrau yn yr ardal. Un noson, dim ond dau aeth am lonc – gŵr lleol a gwraig ifanc oedd newydd ddysgu'r iaith. Wedi loncian yn sydêt ar hyd ffordd wastad am rai milltiroedd, awgrymodd y ddysgwraig y gallent droi i redeg ar hyd tir garwach pe dymunai'r llall, a meddai:

'Os ydych chi moyn rhiw, fe awn ni i'r coed.'

* * *

Dysgwr yn y tîm rygbi lleol yn cyrraedd y maes chwarae ym Mhont-y-pant, Dolwyddelan ac yn dweud wrth ei gyd-chwaraewyr:

'Gweld fod y gŵr gwadd wedi bod yma.'

Gweddill y tîm yn troi i graffu am ryw ŵr pwysig ac yna sylweddoli mai wedi gweld tyrrau tyrchod daear yr oedd o.

* * *

Roedd tiwtor ar gwrs dysgwyr yng Nglan Llyn un tro ac ar noson gyntaf y cwrs roedd yn dweud brawddeg yn Gymraeg ac yna yn ei chyfieithu wrth fynd ymlaen. Daeth y noson i'w therfyn gyda'r gwasanaeth hwyrol.

'Ac i orffen mi gawn ni epilog. *We usually have an epilogue to finish the night.* Ac mi ganwn ni'r emyn hon. *And we'll sing this hymn:* 'Nefol Dad, mae eto'n nosi, *Heavenly Father, night is upon us again'* . . . ac felly ymlaen drwy'r pennill nes cyrraedd y llinell olaf:

 'Nid yw'r nos yn nos i ti – It's not your night tonight!'

* * *

Hogyn bach o ddysgwr yn gweld fan las a gwyn ac yn gofyn i'r athro:

 'O, syr, fedrwn ni gael hufen iâr?'

Arwydd 'Betws Joinery', cwmni lleol a oedd yn eiddo i Sais oedd yn ceisio plesio'r Cymry lleol yn cyhoeddi mai dyna'r lle os am gael gwasanaeth:

 'Gwaeth Saer.'

* * *

Roedd un arall yn cofio dysgwr ar raglen deledu fyw yn trafod twnnel o dan y sianel flynyddoedd yn ôl. Er mwyn paratoi at y darllediad, roedd y dysgwr wedi bod yn pori yn y *Geiriadur Mawr* er mwyn cael termau technegol Cymraeg am bethau fel *trench* ac ati. Yn anffodus, nid oedd ei gof cystal â'i fwriad a drwy'r rhaglen bu'n sôn am gael un 'rhech' fawr o'r lan yr ochr yma reit drosodd i Ffrainc neu ein bod ni yn cychwyn un 'rhech' y pen yma a bod y Ffrancwyr yn cychwyn 'rhech' arall y pen arall. A thrwy'r cyfan, llwyddodd yr holwraig i gadw wyneb hollol syth.

* * *

Dysgwr bach brwdfrydig mewn ysgol yng Ngwynedd yn sgwennu stori antur am yr heddlu ar warthaf lleidr a'r hanes yn cyrraedd penllanw pan:
'*Cachodd y plisman y dyn.*'

* * *

Dosbarth dysgwyr ym Mhwllheli. Un o'r merched yn ddiweddar yn cyrraedd y wers ac yn ymddiheuro i'r athro:
'*Sori fy mod i'n hŵr!*'

Darlledu Bywiog

Gyda chymaint o bobl ar y cyfryngau yn sgwrsio neu'n cyfarch neu'n sylwebu'n fyrfyfyr, mae'n amlwg bod gan y dosbarth hwn gyfraniad helaeth o ymadroddion i'w trysori. Diolch, Radio Cymru, am adael inni glywed yr iaith yn cael ei gweithio!

* * *

Sulwyn ar ei Stondin:
'*Tydw i ddim yn siŵr os ydw i'n cofio yn iawn, ond â siarad o 'ngho rŵan . . .*'

* * *

143

Adroddiad ar y Newyddion:
  'Oni bai am ymyrraeth y cenhedloedd mawr adeg Rhyfel y Dwyrain Canol, mae'n fwy na thebyg y buasai Israel wedi goroesi yr Aifft i gyd . . . '

* * *

Adroddiad arall:
  'Bydd rhaid berwi'r dŵr am wythnos ar ôl y streic.'

Un arall yn sôn am
'. . . y gwahanol garafanau o fewn y Blaid Lafur.'

* * *

Siân Gwenllian yn adrodd hanes yr helbulon adeg yr eira mawr yn 1982 pan ddefnyddiwyd hofrennydd ar adeg o argyfwng, megis gwraig yn esgor.
'Gorfu i hofrennydd gludo doctor i Ysbyty Bronglais er mwyn iddo gynorthwyo gwraig oedd yn cael trafferth i feichiogi.'

* * *

Newyddion Radio Cymru:
'Cyhoeddwyd fod Syr Julian Hodge, dyn cyfoethocaf Cymru, am symud o'r wlad. Mae Syr Gillian . . . '

* * *

Gareth Glyn tra'n holi Emyr Feddyg ynglŷn â chalonnau artiffisial.
'Mae hwn yn newyddion calonogol iawn.'

* * *

Swyddog o Gyngor Dosbarth Caerfyrddin yn sôn bod rhywun wedi curo hoelion i goeden a ddefnyddid gan brotestwyr CND i ddringo i mewn i'r byncar:
'Mae hyn yn gyhuddiad difrifol, ond mi allaf eich sicrhau bod y cyngor yn gyngor cyfrifol, ac mae'r cwmni diogelwch yn gwmni cyfrifol, ac nid ydy'r naill na'r llall yn gyfrifol.'

* * *

Alun Williams BBC yn esbonio sut oedd gwneud cais am 'Lais o'r Maes':
'Sgrifennwch atom ni a gofynnwch i Alun chwarae rhywun a fu ar y llwyfan.'

* * *

Wrth siarad ar newyddion S4C ynglŷn â'r bwriad i gwtogi'r nifer o swyddi ym mhwerdy'r Wylfa, dywedodd y Cynghorydd Ronnie Madoc Jones:

'Be sy'n bwysig? Pres ynte dirgelwch?'

* * *

Ar 'Newyddion Saith' soniodd Bethan Jones Parry am:

'. . . werthu chwaraewr pêl-droed yn rhad ac am ddim.'

* * *

Richard Bowering ar 'Arwyr' ar Radio Cymru:

'Mae pob Cymro gwerth ei haul yn mwynhau S4C.'

* * *

Ruth Parry ar 'Helo Bobol':

'Llais yr anfarwol Kathleen Ferrier a fu farw'n 41 oed.'

* * *

Ar 'Stondin Sulwyn', soniwyd am
'Cawl a Vernon a Gwynfor.'

* * *

John Glyn Jones yn cyflwyno 'Garddio ' ar Radio Cymru.
'Diolch am eich ysbytygarwch.'

* * *

Llythyr at 'Post Prynhawn'.
'Mae deiategyddion yn denau iawn ar y ddaear.'

* * *

Sulwyn Thomas yn yr Eisteddfod:
'Mae hi'n wlyb dros ben dan draed.'

* * *

Meddai darlledwr ar newyddion pan oedd y sain yn aneglur ar
un o'r adroddiadau:
'Ac ymddiheuriadau am ansawdd wael yr adroddiad yna.'

* * *

Wrth sôn am brofion genetig a ffrwythloni mewn labordy,
dywedwyd eu bod yn awr yn *'arbrofi ar wyau dynol'*.

* * *

Hywel ar y Radio.
'Rydw i'n cael fy mhen-blwydd ar Orffennaf 13eg eleni.'

* * *

Wrth sôn am wlybaniaeth mewn tai ar y rhaglen radio 'Mae
Gen i Hawl', cafwyd y cyngor da hwn:
*'Mae'n rhaid stopio'r damprwydd rhag dod i mewn o'r tu
allan yn hytrach na'i stopio fo rhag dod allan y tu mewn.'*

* * *

Ar y radio yn ddiweddar, roedd rhywun yn sôn am weithio yn ystod y nos ac yn cyfeirio at hynny fel *'gweithio oriau ansosialaidd'*. Mae'n siŵr y buasai pob undebwr yn cytuno.

* * *

Clywyd ar 'Y Stondin Werthu':
   'YN EISIAU: Soffa i eistedd tri ar gyfer hen bobol mewn cyflwr da.'

* * *

Meddai cynghorydd o ardal Llanelli ar 'Stondin Sulwyn':
   'Dyw'r Cyngor Bwrdeisdref ddim yn barod i wrando ar lais y Cyngor Cymundeb.'

* * *

Mae cyflwynwyr radio yn gorfod crafu gwaelod y bwced yn aml er mwyn cael hyd i linc esmwyth. Meddyliwch am gyflwyno 'Post Prynhawn' – 'Ac yn awr, dyma bostman Radio Cymru yn barod i agor ei sach . . . ' Ond yn ystod mis arbennig, cafodd un gyflwynwraig syniad am linc gwreiddiol dros ben:
   'Ac yn awr bydd Gareth Glyn yn crafu gwaelod ei gwd ac yn dod â'r Post Pnawn i chi . . . '

* * *

Ray Gravell ar y radio un bore yn ystod Prifwyl Bro Madog:
   'Bore da i chi i gyd, ble bynnag rydych chi'n gwrando arnaf i – os ydych chi mewn carafan ym Mhorthmadog, neu mewn pabell yn eich gwely!'

* * *

Dyn cynhyrfus ar y radio yn sôn am fynd i fyw i Awstralia:
   'Mi rydan ni'n edrych ymlaen yn fawr – mi rydan ni wedi cynhyrchu yn arw.'

* * *

Bowring, ar raglen arddio:
   'Y peth cyntaf sydd ei angen wrth blannu tatws ydi rhech dda.'

* * *

Glan, ar ei raglen radio, yn gwneud camgymeriad wrth gyflwyno record ac yn dweud wedi i'r gân ddarfod:
   'Dwi newydd gael fy nghyweirio.'

* * *

Gareth Glyn, 'Am y Corau' S4C:
   'Ac yn awr, cawn ddatganiad difri y côr hwn.'

* * *

Roedd rhyw nam technegol yn atal pethau rhag llifo'n esmwyth yn y Brifwyl ym Machynlleth ac aeth Robin Jones, yr arweinydd, at y meic i esbonio wrth y gynulleidfa beth oedd o'i le.

'Mae'r organ,' meddai o, *'yn ffliwt.'*

* * *

Aelod o Uned Hybu Iechyd Gwynedd yn trafod ar Stondin Sulwyn (8-9-98):

'Rydw i'n cefnogi'r peth yn hollalluog!'

* * *

Wrth drafod cynlluniau atal llifogydd yn Nyffryn Conwy yn ddiweddar, meddai Tudur Hughes, Undeb Cenedlaethol yr Amaethwyr:

'Mae gen i gydymdeimlad mawr efo trigolion Llanrwst a Threfriw sydd wedi cael eu boddi ddwywaith dair yn barod...'

* * *

Soniwyd am glaf oedd yn dioddef o *'gancr y tecstiliau'*.

* * *

Gohebydd, wrth drafod y digwyddiadau erchyll diweddar yn Ipswich yn datgan yn groyw glir fod yr heddlu o'r farn fod 'rhinweddau' tebyg rhwng rhai o'r llofruddiaethau.

Pwy fyddai wedi meddwl cyn hynny y byddai llofruddio rhywun yn cael ei hystyried yn weithred *'rinweddol'*!

* * *

Cafodd un o'r siaradwyr bore Sul gam gwag ar Radio Cymru drwy gyfeirio at y Cynulliad Cenedlaethol fel: *'Y Cynlleied yng Nghaerdydd'*. Wedi meddwl, efallai ddim.

* * *

Rai blynyddoedd yn ôl, roedd cyflwynydd S4C yn dweud wrth y cyhoedd beth oedd arlwy'r noson honno ar y sianel:
  'Am hanner awr wedi saith bydd rhaglen ddogfen ar "gondoms" ac am wyth bydd yr Athro Derec Llwyd Morgan yn Profi'r Pethe.'

* * *

Llefarydd ar ran y Blaid Lafur wrth drafod y llywodraeth les:
  'Mae'n bwysig inni adfer tlodi . . . '

* * *

Cyflwynydd ar Radio Cymru yn lleoli ein hamser presennol yn hollol ddiamwys:
  'A ninnau ar droed y mileniwm newydd . . . '

* * *

Cwestiwn gan gyflwynydd radio:
  'Wyt ti am fynd i Ŵyl y Caplan i Ffostrasol eleni?'

* * *

Un cyflwynydd arbennig ar Radio Cymru yn ceisio cyfleu fod y *'Friday feeling'* wedi cyrraedd y stiwdio. Roedd o'n llawn bywyd, llawn *buzz* ac yn llawn bwrlwm.
  'Rydw i'n teimlo'n Wenerol,' medda fo.

* * *

Roedd damwain wedi digwydd ac roedd un car yn racs grybibion. Yn ôl y gohebydd:
  'Mae'r cerbyd yn adfail.'

* * *

Gohebydd arall yn ceisio cyfleu bod rhyw greadur wedi cyflawni hunan-laddiad drwy roi ei hun ar dân drwy ddweud ei fod *'wedi cyflawni hunan dân.'*

* * *

Stori Wir!

Mae hi'n cael ei deud ym mhobman. Ar y stryd, ar y cae rygbi, ar faes y Steddfod, mewn mynwent, uwch baned, uwch beint – ia, y stori wir. Dyma ddetholiad o straeon ddigwyddodd-hyn-go-iawn, ac ambell i chwedl hefyd!

Yr Heddlu a'r Gyfraith

Daeth heddwas o Gerrigydrudion i blismona ar strydoedd Caernarfon ac roedd o braidd yn nerfus gan ei fod wedi clywed fod y dre yn lle go galed gyda'r nos. Gan fod ganddo ofn y tywyllwch, cerddai yn gyflym rhwng y polion lampau ac yna tin-droi am hydoedd o dan olau'r lamp. Y llysenw a gafodd gan y Cofis oedd *'Y Gwyfyn'*.

* * *

Cafodd llanc ei ddal yn piso y tu allan i dŷ yn *Constantine Terrace* un noson. Tynnodd y plismon ei lyfr a dechrau sgwennu'r manylion. Ar ôl cael enw a chyfeiriad, aeth ati i gofnodi ei fod wedi ei arestio yn 'Cons . . . Constans . . . ontant . . . ' Ond fedrai o ddim yn ei fyw â sillafu *Constantine Terrace*.

'*Tyrd,'* meddai wrth y llencyn gwan ei bledren. '*Mi a' i â chdi i Stryd Llyn – mi fydd yn haws i mi dy restio di yn fan'no.'*

* * *

Dau blisman wedi darganfod tair grenêd ar lawr yn y stryd.

'Fasa ddim gwell i ni fynd â nhw yn ôl i'r stesion i'w dangos i'r sarjant?' holodd un.

'Wn i ddim. Be tasa un ohonyn nhw yn tanio yn ein pocedi ni?'

'*Paid â phoeni am hynny. Mi fasa'n reit hawdd i ni ddeud wrtho fo mai dwy gawson ni hyd iddyn nhw.'*

* * *

Roedd rhyw nam ar system ddiogelwch Cwmni Sain oedd yn peri i'r seiren ganu yn y nos yn ddiweddar. Galwyd un o'r staff gan yr heddlu i ddod lawr i'w diffodd ac i edrych o gwmpas y lle rhag ofn bod rhywun wedi ymyrryd â'r eiddo. Doedd dim golwg fod neb wedi bod yno ar berwyl drwg – dim ffenestr wedi'i thorri, dim byd wedi'i ddwyn.

Ond yna, dyma'r heddwas yn agor un drws a gweld papurau ar lawr, tomen blith-draphlith ar y ddesg a llanast fandalaidd ym mhob man.

'A!' meddai'r Sherloc yn fuddugoliaethus, 'Maen nhw wedi bod fa'ma.'

'Na,' meddai dyn Sain. '*Swyddfa Dafydd Iwan ydi honna.*'

* * *

Bydde'r plisman yn Nhydra'th, P.C. Ben Williams, yn galw yn y tafarne i gyd yn 'u tro, a hynny heb fod yn unig ar amser cau. Mi fydde'n gneud rhyw esgus neu'i gily' i alw, 'falle'n gynnar yn yr hwyr, a bydde'r landlord, neu'i wraig, yn cynnig diferyn iddo ac mi fydde'n ca'l peint neu ddou fel 'na, achos wedd e'n foi am 'i gwrw – er na welodd neb e' ariôd o dan yr effeth. Un nosweth, shua'r marce wyth, fe alwodd yn y Golden Lion a mynd, yn ôl 'i arfer, yn streit i'r Rŵm Bach, lle da'th Mrs Ifans â pheint, wedi'i dynnu'n ffresh o'r gasgen, iddo. Wedd e braidd wedi cwmryd llifigyn o'r ddiod pan glywodd e' lais cyfarwydd yn dwad trw'r passage tuag at y Rŵm Bach, a dyma fe'n rhoi'r peint ar y llawr, wrth ymyl 'i gader, a rhoi'i helmet drosto. Neb llai na'r Parchedig Ben Morris. Wedd hi'n arfer gydag e' i droi i miwn i'r Golden Lion ar ôl cwrdde'r wythnos, dim ond i ga'l gair bach gydag Ifans, gŵr y tŷ, wrth gwrs, achos we' hwnnw'n aelod ffyddlon yng nghapel Ebeneser ond alle fe' ddim bod yn ddeiacon am 'i fod e'n cadw tafarn. A we'n nhw'n gweud fod y Parchedig Ben yn ca'l diferyn bach o whisgi weithie, i gadw'r oerfal ma's. We'r Rŵm Bach braidd yn dywyll ar y gore, ond gyda'r nos, fel wedd hi, wedd e' ddim wedi sylwi fod neb 'no, hyd nes iddo weld bwtwme'r plisman, a dyma fe'n ishte gwddereb ag e'. 'Shwt i chi hen?' medde un wrth y llall, ond we' na fowr yn 'hwaneg i'w 'weud rhwngddi nhw, er bod y P.C. yn treio tipyn, trwy 'weud 'i bod hi wedi bod yn dywy' ombeidus neu ofyn a wedd angla hwn-a-hwn wedi bod, ond tawelwch we'n teyrnasu yn benna' rwng y ddou Ben, gyda'r ddou yn edrych ar 'i gily', neu hytrach yn treio osgoi llyged 'u gily'. O'r diwedd fe ofynnodd y Parchedig i'r P.C. a wedd e' ddim ar diwti. 'Wdw, wdw,' atebodd y plisman, 'Na beth wy'n neud fan hyn yw dishgwyl gweld Mrs Ifans oboitu'i leishans.' Fe welodd y Parchedig na we ddim diben iddo oedi ymhellach, a bant ag e'. Cododd y P.C. 'i helmet ac ifodd y peint mewn un llwnc.

* * *

Yn ystod y rhyfel ddiwethaf, roedd tad Sidney Davies, Penmaenmawr yn y *Special Constables*, a'i bartner oedd Tommy Owen Edwards, groser o Benmaenan a diacon yn Salem, fel fy nhad. Byddent yn cerdded o gwmpas y pentref yn eu siwtiau plismyn efo hetiau fflat a gasmasg rownd eu hysgwyddau. Ar ddiwedd eu shifft byddent yn galw yn nhŷ'r plisman lleol. Roedd y gyfnewidfa deliffon ym Mhenmaenmawr yn cael ei gadw gan Mrs Jones y tu ôl i'w siop ym Mhant-yr-Afon ac yn y dyddiau hynny roedd rhaid iddi wthio weiren mewn twll i'ch cysylltu chi â'r byd y tu allan. Dywedodd fy nhad fod y plisman yn siarad efo'i sarjant yng Nghonwy ac yn dweud – 'Mae gennyf deimlad fod rhywun yn gwrando ar ein sgyrsiau, wyddoch chi!' A dyma yr hen Mrs Jones yn torri i mewn a dweud –

'*Toes 'na neb yn gwrando arnoch chi. Rhag cywilydd ichi ddeud y fath beth!*'

* * *

Roedd cymeriad yn byw ym Mhenrhyndeudraeth. Âi am beint bob nos ar ei feic, a hwnnw heb olau arno. Daeth plisman ifanc i'r pentref, ac roedd yn benderfynol o'i ddal heb olau ar ei feic. Felly dyma guddio hanner ffordd i lawr yr allt ar lwybr taith y beiciwr. Pan ddaeth hwnnw i'r golwg, gwaeddodd y plisman:

'Stopia, sgynat ti ddim gola.'

A'r ateb – '*Fedra i ddim, sgyna i ddim brecs chwaith!*'

* * *

155

Criw o'r bryniau yn paffio ar strydoedd Rhyl mewn ffeit nos Sadwrn. Toc, dyna'r Glas yn cyrraedd a sgrialodd yr hogiau i bob cyfeiriad. Ond mi fu un yn ddigon anlwcus i gael ei ddal. Ac ar ben hynny, yn ddigon anlwcus i gael ei arestio. Cafodd ei lusgo i'r Blac Maria a'i gario i'r celloedd.

Roedd y llanc yn gwybod ei hawliau serch hynny a dyma fo'n mynnu cael gair gyda'i gyfreithiwr. Un alwad ffôn ac un yn unig, meddai'r Glas. Ond doedd 'na fawr o lwc yn perthyn i'r llanc y noson honno – deialodd rif y cyfreithiwr a chychwyn esbonio'i gyflwr pan glywodd lais o'r pen arall: *'Sorry, wrong number.'*

* * *

Roedd rhyw lanc wedi mynd i'r dre ar nos Sadwrn, a thu allan i'r hen bictiwrs, dyma droi'i glos a chael pisiad tawel y tu ôl i ryw gar.

Toc, dyma blismon yn dod ar ei warthaf:

'Y cena digywilydd, mae gen i hawl i dy ffeinio di yn y fan a'r lle wyddost ti. A dyna dwi am 'neud hefyd – dyro saith a chwech i mi.'

Ar ôl cau 'i stabal, dyma'r llanc yn estyn papur deg swllt i'r plismon gan ddeud:

'Cadwch y newid – mi wnes i daro rhech yr un pryd.'

* * *

Aeth gŵr i Fôn i brynu coed ac yna eu llwytho i gefn ei 'estate' gyda'u pennau allan ymhell y tu ôl i'r car.

Wrth groesi'r bont cafodd ei atal gan blismon.

'Mae dy goed di'n rhy hir,' meddai hwnnw'n awdurdodol.

'Na, dyna'r hyd roeddwn i eu heisiau nhw,' oedd yr ateb.

* * *

Athrawes ysgol gynradd yn ardal y Rhondda wrthi'n rhoi gwers Fathemateg i'r plant, ac yn sôn am batrymau 3 dimensiwn. Aeth yn ei blaen i egluro y gwahaniaeth rhwng cylch a sffêr a'r gwahaniaeth rhwng sgwâr a chiwb, triongl a prisum ac yn y blaen. Ar ddiwedd y wers dyma un ferch fach

ddiniwed yn troi at yr athrawes gan ddweud:
'Miss Miss, ma' Dad fi yn prisum.'

* * *

Roedd plismon ym mhentref Llanrhaeadr-ym-Mochnant dro'n ôl yn dipyn o gymeriad ac mi fyddai'n gwneud pethau digrif dros ben ar adegau. Ar un achlysur roedd yn y llys yn Llangollen ac roedd yr achosion yn ymwneud â theuluoedd oedd wedi ymosod ar ei gilydd yn y pentref. Roedd yr heddlu'n dwyn achos yn erbyn rhai ohonyn nhw ac eraill yn dwyn achosion preifat eu hunain. Yn ystod yr achos gerbron y llys dyma'r Clerc yn gofyn i'r rhai oedd yn bresennol: 'Pwy sy'n gwneud y cyhuddiadau yma?' Ond y cwestiwn yn ei eiriau ef oedd: *'Who is making these allegations?'* A dyma blismon Llanrhaeadr yn ymsythu yng nghefn y llys pan glywodd y cwestiwn, ac yn ateb fel hyn:
'I am, sir,' meddai. *'I am the alligator.'*

Ar y Fferm

Yn y cyfnod pan oedd T.B. ar fuchod, roedd nifer o bosteri'n cael eu cyhoeddi i rybuddio'r cyhoedd am y peryglon mewn llefrith ffresh. Rhoddid pwyslais mawr ar lefrith wedi'i sterileiddio – yn arbennig ar gyfer plant bach.

Argraffwyd o leiaf un ohonynt yn y Gymraeg, ond roedd y cyfieithiad braidd yn flêr:

Os ydi'ch babi chi yn cael trafferth hefo llefrith ffresh – berwch o.

* * *

Wrth hawlio Cynllun Premiwm Arbennig Cig Eidion 1994, roedd gofyn i'r sawl a wnai'r cais arwyddo'r datganiad hwn:

'Yr wyf yn amgau Dogfennau Adnabod Gwartheg (CID's) yr anifeiliaid sydd yn y cais hwn ac yr wyf am gawlio'r premiwm ar yr anifeiliaid hynny.'

* * *

Tad: Pan o'n i'n dy oed di ro'n i'n godro deg ar hugain o
wartheg oedd wedi rhwymo yn y beudy ac wedyn yn carthu
tanddyn nhw . . .
Mab: *Os oeddan nhw wedi rhwymo, doedd 'na ddim isho
carthu tanddyn nhw yn nagoedd?*

* * *

Ffermwr o Lansannan yn derbyn ei nwyddau gan werthwr
teithiol a hwnnw'n mynd at ddrws llithro ochr y fan yn hytrach
nac at ei thin hi:
'O,' sylwodd y ffermwr, *'mi rydan ni'n mynd at y drws
seserian heddiw, ydan ni?'*

* * *

Llythyr yn y wasg Gymraeg yn bleidiol i'r ffermwyr yn dilyn
helynt y BSE, gan ladd ar anallu'r Llywodraeth Seisnig i ddelio
â'r mater:
'Ni ddylai ffermwyr Cymru fod yn fuchod dihangol . . . '

* * *

Aeth un o deuluoedd Nant Peris i'r dafarn am beint neu ddau a
phan gyrhaeddodd adref, roedd hi braidd yn dywyll. Doedd
handbrec y fan ddim yn gweithio felly, yn ôl ei arfer, dyma fo'n
codi carreg o fin y ffordd a'i stracio o flaen olwyn ôl y fansan ar
y buarth serth.
Mi gafodd fraw pan waeddodd ei wraig o'r ffenest y bore
canlynol fod y fan wedi'i pharcio ar ei phen yn y wal gerrig yng
ngwaelod y buarth.
Erbyn dallt, crwban yr hen blant, nid carreg a gododd o fin y
ffordd i stracio'r fan y noson cynt, a phan benderfynodd y
crwban roi ei ben allan i fynd am dro ganol y nos, mi aeth y fan
am drip hefyd.

* * *

Roedd ffarmwr o Ynys Môn yn siarad ar Radio Cymru yr wythnos gynta' y torrodd y clwy traed a'r genau yn 2001 ac yn dweud reit seriws, 'Os na newn ni rywbeth reit sydyn mi eith y clwy 'ma'n *Academic (epidemic).*

* * *

Un arall oedd hogyn ifanc gwladaidd yn ffermio gyda'i fodryb yn sir Feirionnydd ac yn siarad efo fi am yr argyfwng gan ddweud:

'Does dim rheswm yn yr holl gig sy'n cael ei fewnforio yma, a dwi'm yn trystio lot ar yr hen gompiwtars 'ma chwaith, mae'n nhw'n beryg bywyd. Welis di raglen Dudley ar y teledu neithiwr? Roedd hwnnw yn prynu cig dros y WE gan ryw fwtsiar o Gonwy. Does wybod pa mor saff oedd hwnnw – mae 'na bob math o hen Fairasus ar y compiwtars 'ma.'

* * *

Pan dorrodd y clwy fis Chwefror, roedd pawb ledled y wlad yn wyliadwrus ac yn di-heintio pob dim rhag i'r clwy ledaenu. Roedd llefydd y milfeddygon yn fwy trylwyr na neb, yn rhoi bwced fawr a brwsh sgwrio y tu allan i bob mynedfa. Un o'r rhain oedd milfeddygon yn Eifionydd, gydag arwydd mawr y tu allan i'r drws: 'Golchwch eich traed yn lân cyn dod i mewn i'r feddygfa' a 'run fath yn Saesneg. Pan welodd ffermwr o Ben Llŷn yr arwydd wrth nôl dôs i'w louau bach, mi dynnodd ei wellingtons a'i sane i ffwrdd a golchi ei draed yn lân yn y bwced di-heintio.

* * *

Gŵr o'r de yn cwyno ei fod o'n oer wrth rhyw ffermwr mynydd.

'Wi bron sythu.'

'Wel, plygwch 'ta.'

* * *

Ffermwr yn Sir Fôn yn ceisio darogan y tywydd, ac yn dweud wrth rhyw ymwelydd o Sais ei bod am wneud tywydd mawr. Fel hyn a ddywedwyd:
'There's going to be very large weather!'

* * *

Yr un ffermwr yn ceisio rhoi cyfarwyddiadau i Sais arall oedd ar ei wyliau. Roedd am iddo fynd i fyny drwy'r giât isaf.
'Go that way,' meddai, *'up the down gate!'*

* * *

Roedd un tro eisiau holi pwy oedd wedi gollwng ei gi yn rhydd. A dyma fo'n holi yn ei Saesneg gorau:
'Who's tied my dog loose?'

* * *

Y fo hefyd a holodd rhywdro,
'Who's coat is that jacket over there?'

* * *

Roedd o'n dipyn o gymeriad ac yn hoff iawn o ffilmiau cowbois. Un tro bu'n gwylio dwy o ffilmiau John Wayne ar yr un diwrnod, y naill yn y p'nawn a'r llall gyda'r nos. Wrth wylio'r ffilm gyda'r nos dyma fo'n troi at ei bartner gan ddweud,
'Mi fydd rhaid i'r John Wayne 'ma gymryd pwyll, mae'r hen geffyl 'na wedi bod yn rhedeg drwy'r p'nawn.'

* * *

Stori anfarwol ydy honno amdano'n cael cynnig pwdin reis mewn tŷ fferm rhywdro, a'r pwdin wedi ei baratoi mewn pot piso.
'Gymrwch chi 'chydig o'r pwdin 'ma?' holodd gwraig y fferm.
'Olreit 'ta,' medda fo, *'mi gymra' i fymryn o'r canol!'*

* * *

Robat y gwas, Mr Ewan y ffariar, a'r Mistar, yn y drefn yna yn croesi cae i olwg buwch oedd yn clafychu. Dyna nhw'n dŵad at glwt o ddail poethion, a medda Robat:

'*Mind the hot leaves Mr McEwan.*'

Roedd gan y mistar gryn gwilydd o Saesneg clapiog Robat, a dacw fo'n rhuthro i'w gywiro fo – '*Don't listen on it Mr McEvan, she means the nesls.*'

* * *

Ceisiodd ffarmwr o ran uchaf Nant Peris (oedd a'i diroedd yn ymestyn i fyny o boptu Bwlch Llanberis) fynd i mewn i'r Café Royal adeg sioe Smithfield yn Llundain er mwyn cael te crand yn y pnawn. Dyma 'na ddyn mewn siwt yn ei atal.

'*Excuse me sir, but you can't go in there. You haven's got a pass.*'

'*What do you mean, haven't got a pass,*' wfftiodd y ffarmwr. '*I've got a very big pass but I've left it back home.*'

* * *

Mae brawd a chwaer yn byw dan yr hen drefn mewn ffermdy anghysbell uwchben Porthmadog. Maen nhw newydd gael ffôn i'r tŷ yn ddiweddar a heb amgyffred y dechnoleg yn iawn eto. Mi ganodd y teclyn rhyw noson ac atebodd y ffermwr yr alwad:

'Helo. Pwy sy'na.'

'Dei.'

'*O! Dei – tyrd i mewn fachgen!*'

* * *

Stori enwog ym myd arwerthwyr ydi honno am Sam, arwerthwr Cymreig iawn o Fôn. Sêl da pluog y Gwyliau oedd hi ac roedd o'n gwerthu hwyaid.

'Dyma chi – dwy chwadan. *Here we are, two ducks . . .* '

Ac ymlaen â fo efo'r gwerthu. Dau geiliog chwadan oedd nesaf.

'*And how much for these? . . . Two duckers . . . !*'

* * *

161

Pan fydd y gwerthiant wedi cyrraedd rhyw binacl a'r un cynnig arall wedi'i wneud ers tro, bydd yr arwerthwr yn troi at y gwerthwr ac yn gofyn iddo os ydi o'n fodlon ar y pris.

Rwy'n cofio gwneud hynny yn Rhuthun un tro, gan ofyn i'r gwerthwr os oedd yn fodlon derbyn y pris am y gwartheg.

'Ydach chi'n gwerthu, Mr Jones?'

'Ew, na. Mae o dipyn bach yn bell.'

'Wel, pa mor bell, felly?'

'O, rhyw ugain milltir!'

* * *

Mae sêl gŵn defaid y Bala yn lle am dipyn o sbort bob blwyddyn. Bydd rhai o'r cŵn yn mynd ohoni wrth weld tyrfa am y tro cyntaf, ac yn codi'u coesau ar goesau'u perchnogion a phob dim. Bydd y cŵn yn cael eu rhedeg cyn eu gwerthu fel bod cyfle i'r darpar-brynwyr weld be maen nhw'n ei gynnig amdano.

'Cym bai,' gwaeddodd un gwerthwr.

Allan â'r ci i ben draw'r cae ble'r oedd y defaid.

'Cym bai!'

Neidiodd y ci dros y ffens gan anwybyddu'r defaid. Gwylltiodd y gwerthwr.

'Cym bai! CYM BAI!'

A gwaeddodd un wàg yn y *ring*:

'Fase ddim yn well iti alw "Cym bac" arno fo!'

* * *

Roedd gan un arall oedd am werthu ci gais rhyfedd iawn. Roedd o'n gofyn am gymorth rhywun i chwibanu ar ei ran er mwyn dangos y ci'n gweithio.

'Pam hynny?' holais innau'n ddiniwed.

'Wi we'wi bo' at y denissht a wi we'wi cael tynnu 'nannef i gyd bofe 'ma. A fedra i 'im whisshlo . . . '

* * *

Roedd hen ffarmwr o Sir Fôn ar ei wely angau. Rhoddwyd ar ddeall i'w wraig gan y doctor y câi'r claf unrhyw beth a fynnai i'w fwyta.

'Mi leiciwn i gael tipyn o'r ham cartref yna,' meddai'r hen frawd.

'Wel, wir, John bach,' atebodd ei wraig, 'chei di mo hwn'na – mae'n rhaid imi ei gadw tan y cynhebrwng!'

* * *

Un tro roedd y crwydryn enwog John Preis yn aros mewn tŷ gwair ar ffferm ym Mhen Llŷn ac i dalu am ei le gofynnodd y ffermwr iddo am help i gyfri'r defaid.

Rhoddwyd yr hen John i sefyll wrth adwy'r gorlan a dyma ddechrau gyrru'r defaid i mewn. Dechreuodd yntau gyfri:

'Un, dwy, tair, pedair, pump, chwech, saith, wyth, naw, deg . . . ac un arall . . . ac un arall . . . ac un arall . . . !'

* * *

Clywyd ffermwr o Wynedd yn taranu yn erbyn yr atomfeydd niwclear dro yn ôl yn dilyn y gwenwyno fu ar ŵyn ar y mynyddoedd. Dywedodd fod Traws lawn mor gyfrifol â Chernobyl am y lefel uchel o wenwyn niwclear oedd yn yr ardal. Aeth i dipyn o stêm, gan ychwanegu:

'Tydi'r lle ddim yn saff, 'sdi – a deud y gwir mae isio rhoi matsian yn y lle!'

* * *

Aeth gŵr o ryw ffferm fynydd o Ysbyty Ifan i'r Rhyl ar drip Ysgol Sul – rioed wedi bod yno o'r blaen.

Pan aeth efo criw i chwilio am fwyd, dyma studio'r arlwy ac yn y diwedd, daeth i'r penderfyniad:

'Tships – dwi am gael tships, i weld sut betha ydyn nhw.'

A dyna fu, achos doedd o rioed wedi eu profi nhw o'r blaen. Toc dyma blatiad mawr o tships o'i flaen. Dyma hi'r foment fawr – rhoddodd un yn ei geg, ac ar ôl ei chnoi am chydig, disgynnodd ei wep, a meddai'n siomedig:

'Duw – tatws 'di'r rhain!'

* * *

Gwraig fferm wedi arallgyfeirio yn cadw maes carafanau ac yn adrodd ei hanes yn cerdded i mewn i lanhau'r lle dynion un bore, gan gredu bod y lle'n wag. Ar hynny dyma 'na ddyn noeth yn camu o'r gawod:

'O, ac ro'n i mor embarasd. **Fedrwn** *i ddim sbiad yn ei ll'gada fo.'*

* * *

Roedd criw o weision yn cymryd hoe yn un o'r caeau, gan geisio cadw o olwg y ffarmwr.

Toc, dyma sŵn hwnnw'n dynesu.

'O, be 'nawn ni rŵan, hogia,' meddai un o'r ieuenga yn y criw, 'mi gawn ni'n dal, mae wedi cach . . . '

'Tynnwch ych trywsusa, hogia,' meddai un arall o'r criw, oedd yn dipyn hŷn. Ac felly y buodd hi.

* * *

Roedd un o weithwyr Stâd Hafodunnos i fod i godi wal ond roedd yn mochel rhag cawod o law dan goeden pan gafodd ei ddal gan y Capten.

'Hei, ti diogi! Pam ti dim gweithio?'

'Be haru chi, Capten? Sut dach chi'n disgwyl i ddyn godi wal sych ar ddiwrnod mor wlyb?'

* * *

'Be 'dach chi'n 'neud y diawlad?' medda'r ffarmwr, wrth weld y rhesiad yn eu cwrcwd.

'Braidd yn amlwg,' meddai'r hen was, gan duchan.

'Welis i rioed ffasiwn beth,' medda'r ffarmwr, 'dach chi'n meddwl deud wrtho fi ych bod chi i gyd isio cachu efo'ch gilydd?'

'Wel, mi gawsom ni ginio efo'n gilydd yn do?' meddai'r hen was.

Capel ac Eglwys

Athro Ysgol Sul yn holi:

'Beth yw pechod gwreiddiol?'

Atebodd aelod o'r dosbarth – 'Os buaswn i yn mynd i'r ardd drws nesa' ac yn dwyn afal – mi fuasai hynna yn bechod, ond os buaswn yn mynd i'r ardd ac yn dwyn y goeden – mi fuasai hynny yn *"bechod gwreiddiol"*,' meddai.

* * *

Hen gymeriad yn dwyn i gof pan yr oedd yn blentyn, pa le y cafodd y polo mint cyntaf erioed. Roedd yn eistedd yng nghefn y capel oedd yn orlawn mewn cwrdd pregethu pan ddechreuodd dagu yn ddibaid. Hen gymeriad yn eistedd wrth ochr y bachgen ac yn tynnu paced o polo mints o'i boced a rhoi un i'r bachgen gan ddweud, *'Hwda, dyro hwn yn dy geg er mwyn i ni gael clywed y bregeth!'*

* * *

Yr un Robat yn dweud adnod yn seiat noson waith:
'Y nefoedd sydd yn datgan gogoniant Duw, a'r ffurfafen sydd yn mynegi gwaith ei ddwylaw ef.'
'Diolch i chi am honna heno eto, Robat Jôs. Be ydi'r ffurfafen 'ma d'wch?' meddai'r gweinidog.
Robat: *'Dwn i'm byd mawr, os nad ydi hi'n fform i apelio am leisans ci.'*

* * *

Yr un gweinidog yn gofyn i hen frawd arall ar ryw gyfri.
'Be 'di'ch barn chi am y byd a ddaw?'
'Wn i ddim,' medda hwnnw; *'anffyddiwr ydw i, diolch i Dduw.'*

* * *

Gwraig yn cerdded i mewn i siop lyfrau yng Ngwynedd ychydig cyn y Nadolig.
'Oes gynnoch chi Feibl yma os gwelwch chi'n dda?' oedd ei chwestiwn.
'Nag oes, cofiwch, dim ond petha' 'Dolig sy' gynnon ni rŵan del,' oedd yr ateb eironig.

* * *

Anodd ydi coelio, ond fel yma'n union y dechreuodd y blaenor ddarllen Salm 23. *'Yr Arglwydd yw fy mogal.'*

* * *

I dorri tipyn ar ei daith adref un noson hydrefol leuad bigfain, cerddodd llanc ar draws y fynwent. Ar hynny clywodd rhyw dwrw tapio a hwnnw yn cryfhau fel yr oedd yn mynd yn ei flaen. Pan oedd y sŵn ar ei gryfaf, ac yntau braidd arswyd erbyn hyn, rhyddhad oedd iddo ddod ar draws rhyw ddyn yn sefyll wrth lechfaen â chŷn a morthwyl yn ei ddwylo. 'Rwy'n falch o'ch gweld,' meddai wrth y dyn, 'i gael eglurhad ar darddiad y sŵn tapio yna.'

Ddwedodd hwnnw yr un gair hyd nes y gofynnodd y llanc allan o chwilfrydedd beth oedd o'n ei wneud yn y fan honno yr adeg hynny o'r nos.

'Mae 'na ryw lob wedi sbelio fy enw i'n rong.'

* * *

Roedd capel bach yn y wlad yng nghanolbarth Cymru yn cynnal cwrdd yn yr haf yn y prynhawn a'r nos yn unig. Un Sul, daeth pregethwr yno yn y prynhawn ond erbyn i'r gynulleidfa ddod ynghyd yn y nos, nid oedd olwg ohono yn unman. Daeth y pedwar diacon at ei gilydd i drafod yr argyfwng. Roedd bachgen ifanc yn eistedd mewn sêt gerllaw cefn y capel a daeth ymlaen i weld os gallai fod o gymorth. Pan glywodd am y broblem, cynigiodd lywio'r gwasanaeth a chafwyd pregeth dda iawn ganddo. Ar ôl yr oedfa, holwyd ei helynt a chael nad oedd ganddo le i aros dros nos. Cytunodd un o'r diaconiaid iddo ddod i aros ar ei aelwyd ef.

Fore trannoeth, wedi brecwast, holodd y ffermwr pa drefn oedd ganddo ar gyfer cyrraedd adref. Dywedodd y llanc y carai gael benthyg merlen i gyrraedd y bws yn y dre. Cytunwyd felly a'i fod i adael y ferlen mewn tafarn arbennig ac y deuai'r ffermwr i'w mofyn ar ôl cinio drannoeth.

Y diwrnod canlynol, daeth y ffermwr i'r dafarn ond nid oedd y ferlen yno. O holi dipyn, clywyd fod y ferlen wedi'i gwerthu mewn ocsiwn gyfagos. Roedd y llanc wedi dianc o'r carchar yn adrodd cymaint ar yr un un bregeth nes ei bod ganddo ar ei gof.

Pwt o'r sêt fawr

Bachgen bach yn y capel wedi'r plant ddweud eu hadnodau yn ateb cwestiwn gan y gweinidog:

'Pwy sydd wedi clywed am Kosovo?' yn ateb, 'Y fi. Rydwyf yn hel pres i'r plant yno sydd wedi cael ei hel o'u cartrefi.'

Gweinidog: Sut wyt ti'n hel yr arian?

Plentyn: Mynd o gylch y tai yn gwerthu tatws.

Gweinidog: Dyna ddifyr. O ble y cei y tatws yma.

Plentyn: *Ddim tatws rwy'n werthu – 'tatoos' i blant sticio ar eu dwylo!*

* * *

Plentyn bach mewn capel bach yn y wlad yn ystod gaeaf caled ac oer. Gan mai fo oedd yr unig un yn y capel y bore Sul hwnnw dyma'r gweinidog (o'r de) yn dweud wrtho ei fod am ei esgusodi i ddweud adnod gan bod yr hin mor oer. Nid oedd tad y bachgen yn bresennol yn y capel.

Pan gyrhaeddodd y bachgen bach gartref, holodd ei dad a oedd wedi dweud ei adnod yn iawn.

'Naddo,' atebodd.

'Pam?' gofynnodd ei dad.

'Doedd y gweinidog ddim am i mi ddweud adnod.'

'Be ddywedodd y gweinidog,' meddai'r tad.

'Dywedodd fod ei dîn yn oer!' atebodd y bachgen.

* * *

Roedd gan un pregethwr bedwar pen i'w bregeth. Ar ôl ystyried tri ohonyn nhw, cyhoeddodd gyda rhyddhad:

'*A rŵan dyma ni'n dod at y pen ola.*'

* * *

Aeth y gair *emphatic* ar goll wrth i arweinydd cymanfau ganu ledio un emyn.

'*Rŵan rydw i ishio ichi ganu "Daeth Iesu i'm calon i fyw" – a dwi ishio ichi ei chanu hi mor sarcastic â phosib.*'

* * *

Cododd gŵr ar ei draed i weddïo o'r frest mewn cyfarfod arbennig:

'Diolch i Ti o Arglwydd Mawr am yr Apostol Pôl. Gwna ni'n Bolion i gyd.'

* * *

Criw wedi mynd i Lerpwl i weld ffwtbol a Huw Llanberis, blaenor, yn y criw. Ar ôl y gêm mynd am ginio a glasiad a Now Coed yn gofyn i Huw, 'Gymrwch chi lasiad?'

'Na wir! Bobol bach a finna yn flaenor!'

Dyma un o'r hogia yn dweud:

'Dyro 'gin' iddo fo Now, a dweud mai dŵr ydi o.' Ymhen dipyn dyma Huw yn dweud: *'Wsti be' Now, mae yna ddŵr da yn Lerpwl!'*

Rhwng y Muriau Hyn
Hiwmor ym myd crefydd

Gweinidog yn bedyddio efeilliaid, bachgen a geneth.

Gofyn i'r rhieni am eu henwau a chael yr ateb 'Kate a Sidney'. A chan daenellu dŵr arnynt meddai: *'Yn enw y Tad, a'r Mab, a'r Ysbryd Glân, yr wyf yn eich bedyddio yn Steak and Kidney.'*

* * *

Ficer yn cyfarfod bachgen yn y pentref ar fore Llun.

Ficer: Ti ddim yn yr Eglwys ddoe. Pam?

Bachgen: Roeddwn yn y Capel Wesle, syr.

Ficer: Pam ti'n Wesle?

Bachgen: Am fod fy nhad yn Wesle, syr.

Ficer: Aha! Ti'n Wesle am bod tad ti'n Wesle. Be fase ti petai tad ti'n ffŵl?

Bachgen: *Eglwyswr, syr.*

* * *

Athrawes yn holi plant mewn Ysgol Sul.

'Beth oedd enw y wraig gyntaf ar y ddaear?'

Dim ateb.

'Meddyliwch am Ardd Eden.'

Dim ateb.

'Meddyliwch am Adda.'

Dim ateb.

'Meddyliwch am afal.'

'*O*,' meddai hogyn bach yn sydyn, '*Granny Smith, Miss.*'

* * *

Dosbarth Beiblaidd dan arweiniad y diweddar Barch. Archdderwydd Gwilym Tilsli. Roeddem yn trafod adnod 19 o'r 15fed bennod o Efengyl Mathew:

'Canys o'r galon y mae meddylau drwg yn dyfod allan, lladdiadau, tor-priodasau, godinebu, lladradau, cam- dystiolaethau, cablau' a.y.y.b.

Bu tipyn o ddadl rhyngom os oedd unrhyw wahaniaeth, fel mater o egwyddor, rhwng prynu tocyn 6c. mewn raffl neu roi £100 ar geffyl yn y *Grand National*. Ni ddaethom i unrhyw gytundeb a throes Tilsli, i roi taw arnaf mae'n debyg, at yr hen flaenor Emlyn Hughes a gofyn am ei farn ef.

'Wel,' meddai'r hen gyfaill annwyl, 'rydw i'n cytuno â Paul – y dylem fod yn gymedrol ym mhob peth.'

Ag un llais gofynnodd Tilsli a minnau '*GODINEB?*'

* * *

Yr oedd rhyw hen flaenor yng nghapel Penygroes a chanddo fab a'i wyneb ar y weinidogaeth, ac wrth gyhoeddi ar nos Sul, dywedodd: 'Bydd fy mab i yma'n pregethu y Sul nesa' am ddau a chwech.'

Ac meddai ryw hen frawd o'r gynulleidfa: '*Wel wir, mae o'n rhad iawn, Robin.*'

* * *

Dyw plant byth yn broblem – y rhieni yw'r broblem fel arfer. Rhai o'r rhieni gwaetha yw rhieni sy'n maldodi eu plant – dyw eu plentyn bach nhw byth yn gwneud dim byd drwg. Roedd pregethwr mawr tew, cyfforddus yr olwg, yn eistedd mewn bws a chot wlân flewog, ddu amdano. Dyma fam a'i phlentyn yn dod ar y bws ac yn eistedd ar ei bwys e. Roedd lolipop mawr gyda'r crwt ac roedd e'n cael pleser mawr mewn sychu'r lolipop yn y got flewog. Ceisiodd y pregethwr beswch yn uchel i dynnu sylw'r fam at y peth, ac o'r diwedd fe ddywedodd hi, 'Peidiwch cariad.'

Ond dal i sychu'r lolipop yn y got flewog roedd y crwt.

O'r diwedd fe gynhyrfodd y pregethwr a dweud, 'Er mwyn Duw, fenyw, dwedwch wrtho fe am beido sychu'i lolipop yn 'y nghot ore i.'

Dyma'r fam yn troi at y crwt ac yn dweud yn dyner, *'Peidiwch, cariad, rhag ofn i chi gael blew ar y lolipop.'*

Ateb parod

Roedd y Parch. Evan Jones a Dr Hughes yn weinidogion Calfinaidd yng Nghaernarfon dros ganrif yn ôl. Eglwys Dr Hughes oedd y gyntaf i brynu organ. Roedd Evan Jones yn ddirmygus iawn:

'Y cwbl sy arnoch chi ei eisiau rŵan ydi mwnci.'

Roedd ateb Dr Hughes y un sydyn:

'Y cwbl sy arnoch chi ei eisiau ydi organ!'

* * *

Roedd Dafydd Bach, hen bostman Llanrug yn gwthio yr hen feic trwm hwnnw fydda ganddo fo i fyny Allt Bont rhyw Nadolig, a hwnnw yn orlwythog o barseli a phob math. Pwy ddaeth ond y Person.

'Bore da Defi,' meddai yn llon. 'Bore braf ond oer a chwithau mor drwmlwythog. Mul fydd yn rhaid i chi gael i gario eich beichiau.'

'Does dim posib cael un yn unlla rŵan,' meddai Dafydd yn sydyn. *'Maen nhw i gyd wedi mynd yn bersoniaid.'*

Postman

Postmon craff iawn oedd Wil Twm. Pan fyddai catalogau archebu nwyddau drwy'r post yn cyrraedd ei fan, fyddai o byth yn eu danfon i'r cyfeiriadau yn ei ardal. Yn hytrach, gwnâi goelcerth wythnosol a llosgi'r cyfan:

'Weli di, os cân nhw'r catalogs, y peth nesa fydd y bydda' i'n gorfod cario parseli iddyn nhw. No wê!'

* * *

Credai Wil Twm fod hipi mewn tyddyn diarffordd yn yr ardal yn hen ddiogyn da-i-ddim-i-neb. Roedd yn dân ar ei groen ei weld wrth y giât, yn fore-godwr eiddgar bob dydd Mercher, wedi dod yno i'w gyfarfod i dderbyn ei arian dôl.

''Rosa di,' meddai Wil Twm wrth gymydog. 'Mi wna i i Mistar Hipi godi ddwywaith yr wythnos yma.'

Aeth yn ei flaen ac yno roedd y gŵr di-waith yn ei ddisgwyl fel arfer wrth y giât.

'No, nothing for you today,' meddai'r postmon. *'It might come tomorrow.'*

* * *

Pan oedd car dau ar eu pensiwn wedi torri, mi gafodd y pâr oedrannus eu cludo gan Ifan Postman yn ei fan goch i'r pentra. Dipyn o ryff reid oedd hi hefyd yn rowlio ar bennau'i gilydd fel dau lwdwn.

Pan oeddan nhw'n cael eu gollwng allan o ben ôl y fan ar sgwâr Llanrug, daeth rhyw hogan siriol gellweirus allan o'r siop.

'Rargo,' meddai hi fel 'na ar fyrfyfyr. *'Maen nhw'n gyrru hen bobol drwy'r post rŵan!'*

* * *

Roedd postmon yn danfon parsal i Landudno un tro, a phan gyrhaeddodd y cyfeiriad, gwelodd glamp o blasdy, anferth o erddi – a homar o alseshan rhyngddo a'r tŷ.

Tra oedd o'n fan'no yn chwysu, dyma ffenest yn agor yn y plas a gwraig yn gweiddi:

'*Don't worry, he's all right – just kick his balls.*'

Wel, iawn am wn i, meddyliodd y postmon, ond roedd un problem fach, a dyma fo'n ateb:

'*You call him first, so that he turns round.*'

Dyma'r wraig yn galw ar y ci, trodd hwnnw i'w chyfeiriad a dyma'r postmon yn rhoi holl nerth esgid y *Royal Mail* yng nghwd y ci.

Ac yn wir, mi aeth y ci oddi yno gan wichian. Ond dyma'r wraig yn gweiddi o'r ffenest eto:

'**Not those, you fool – the balls on the lawn I meant.**'

Trefnwyr Angladdau

Byddai hen drefnydd angladdau o Ddinbych yn mynd o amgylch ward yr henoed yn yr ysbyty lleol bob pnawn Sul – gyda llond ei boced o gardiau busnes. Arhosai wrth droed pob gwely a holi sut oedd pawb. Os câi atebiad: 'O, wedi altro'n arw'r wythnos yma,' codai'i law a symud yn ei flaen yn reit handi.

Os câi: 'O, digon llegach, wir,' yn ateb, byddai'n gwenu'n llydan, yn closio at y claf ac yn estyn cerdyn gan eu siarsio i gofio amdano.

Weithiau, byddai rhai o'r henoed yn cysgu adeg ei ymweliad a phryd hynny, byddai'n gadael ei gerdyn busnes ar y bwrdd wrth ochr y gwely. Câi ambell hen greadur coblyn o sioc wrth ddeffro ar ôl cyntun a gweld y geiriau *'Trefnydd Angladdau'* o flaen ei lygaid!

* * *

Tir mawnoglyd sydd ym mynwent y Fron-goch, ger y Bala a cheir trafferth yno ar dywydd gwlyb drwy fod dŵr yn codi yn y bedd. Roedd Syl Ellis, trefnydd o 'Sbyty yno un tro ac yn cael trafferth fawr i gladdu.

Roedd y bedd yn llawn i'r ymylon o ddŵr mawnog a drwy fod yr ymadawedig wedi wastio, doedd 'na ddim pwysau yn yr arch. Dyna lle'r oedd o'n fflôtio fel Noa adeg y dilyw. Yn y diwedd, mi fu raid inni ei adael o ar lan y bedd a wir ichdi, mi ro'n i isio torri allan i ganu *'Yn y dyfroedd mawr a'r tonnau'*.

* * *

Roedd gŵr wedi bod yn orweddog yn 'Sbyty ers tro a doedd 'na fawr ddim yn bod arno heblaw'r felan. Roedd ei frawd yn byw gydag o ac ar ôl cael llond bol ar y cwyno, dyma hwnnw'n galw'r saer. Huw Sêl oedd y saer – mi fyddai'n ymgymryd â gwaith saer eirch bryd hynny. Bu'r ddau'n trafod sut y deuent ag arch i lawr grisiau'r tŷ bychan – gan wneud hynny'n uchel y tu allan i ddrws caeëdig y llofft lle gorweddai'r cwynwr.

'Na, waeth iti befo, ddaw hi byth,' meddai Huw yn bendant. *'Mae'r hen risiau yma lawer rhy gul i arch. Mi fasa hi'n well ei*

symud o i lawr i'r parlwr 'na rŵan cyn iddo fo farw yn y llofft.'
Fu'r claf fawr o dro cyn rhoi'r gorau i'w wely!

* * *

Hen wraig mewn siop yng Nghricieth yn prynu hanner dwsin o gardiau cydymdeimlo. Meddai'r hogan tu ôl i'r cowntar: 'Ydach chi'n siŵr bod chi angan cymaint Musus Robaits?'
Musus Robaits: *'Ydw hogan, peth braf ydi bod efo digon yn stand byi.'*

* * *

Gofynnodd cyfaill i Pirs, Tyn-y-Clawdd a fuasai yn dyfod gydag ef i fynwent y Gelli i weld carreg fedd oedd wedi ei rhoi ar ei wraig. Wedi troi o gwmpas y garreg am ysbaid:
'Wel,' meddai Pirs, *'mi neith hon garreg iddi am ei hoes.'*

* * *

Hen foi o Gwm Penmachno – prin erioed wedi bod pellach na phont Penmachno. Ddim wedi gweld y byd a'i ryfeddodau.
Roedd pâr o efeilliaid union run fath yn byw ym mhen y stryd – dwy hen ferch ac mi fuo un farw. Dyna'i wraig yn deud wrtho fo am fynd i gydymdeimlo â'r llall.
Dyna fo i'r drws a phan ddaeth yr hen ferch i ateb yn ei galar, dyma fo'n cynnig ei law a deud:
'Pa un ohonach chi wyt ti, hefyd?'

* * *

Yn ystod haf 1994, agorwyd amlosgfa yn Aberystwyth. Hysbysebwyd yr agoriad swyddogol, gyda'r geiriau:
'Croeso **cynnes** *i bawb.'*

* * *

Yn ystod y chwedegau, pan ddaeth y sgert fini yn ffasiynol am y tro cyntaf, ac roedd gwên lydan ar wyneb sawl dyn. Ond roedd un hen lanc o drefnydd angladdau go arbennig yn

Ysbyty Ifan yn teimlo'n ddigon sur a chwerw ynglŷn â hyn i gyd. Esboniodd pam wrth un o'r llafnau ifanc:

'Pan o'n i'n mynd allan i garu erstalwm, roedd y merchaid yn gwisgo rhyw sgertia llaes at eu traed ac o dan y rheiny, mi roedd 'na bantalŵns hirion trafferthus. *Ond 'dach chi ddim yn gwybod pa mor lwcus ydach chi'r diawlad – rydach chi'n cael cychwyn lle ro'n i'n gorfod gorffen!'*

Adeiladwyr

Ffermwr yn Eifionydd yn trwsio to cwt. Dyma fo'n llithro i lawr y to, ond rhywsut llwyddodd i ddal ei afael ar y landar.

'Arbed fi, o Dduw, arbed fi,' ymbiliodd.

Dyna'r landar yn torri'n ddau ddarn.

'Y cachwr uffarn' oedd yr ymateb.

* * *

Gŵr o Fethesda un dydd Sadwrn yn penderfynu paentio landar cefn y tŷ ac yn mynd i Fangor i logi ysgol. Wedi gosod yr ysgol yn erbyn cefn y tŷ mi sylweddolodd ei bod hi'n rhy fyr o sawl troedfedd.

'Wel, be wna i rŵan?' meddyliodd gan grafu ei ben, 'mi fydd y siop wedi cau erbyn imi yrru'n ôl i'r dre.' Yna cafodd syniad. Lluchiodd raff dros y to i'r blaen a chwilio am rywle i'w chlymu. Yr unig beth cyfleus y gallai ei weld oedd bympar y Ford Escort ac felly clymwyd y rhaff wrtho. Wedyn, ar ôl clymu pen arall y rhaff am ei ganol dringodd allan o ffenest y stafell wely gefn a hongian yno'n paentio'r landar. Yna yn annisgwyl penderfynodd ei wraig biciad lawr i'r pentre i nôl potel o lefrith . . . yn y car. Tynnwyd y gŵr yn ddiseremoni dros y tŷ, trwy'r ardd ffrynt a hanner canllath i lawr y lôn cyn i'w wraig sylwi beth oedd yn digwydd.

* * *

Dau o hogia Nant Peris yn labro yn Llundain gan aros mewn tŷ lojins. Molchi a swper am 6.30 ac yna parciodd y ddau eu hunain o flaen y teledu am saith yn barod i wylio eu hoff raglen.

Methu dallt fod 'na rywbeth diarth a Seisnig iawn ar fotwm pedwar. Trio pob botwm a galw'r landledi ond doedd honno rioed wedi clywed am 'Bobli Cym'.

'*Duw, nefar matar,*' meddai un o'r hogia. '*We're going home next weekend. We'll bring our own telefision with us for next week.*'

Siopwyr

Roedd dau frawd yn cadw'r London House ym Mhenmachno rhyw hanner can mlynedd yn ôl. Roedd dau gownter yn y siop a safai'r naill y tu ôl i un cownter a'r llall bob tro y tu ôl i'r llall. Roedd un o'r brodyr – John Hughes – yn rhoi dimai ar ben pob peth. Os dôi'r cyfanswm yn bunt, yna am 'Bunt a dimai' y gofynnai John, neu 'wyth swllt a dimai' ac yn y blaen. Eto, at ei gownter ef y byddai pawb yn mynd, yn hytrach nag at ei frawd, am ei fod yn fwy serchog. Roedd y wên, meddan nhw, yn werth dimai.

Ni fyddai John yn mynychu'r capel ddim ond adeg diolchgarwch ac un flwyddyn dyma'r gweinidog yn ei alw i gymryd rhan. Ledio emyn oedd y gorchwyl a dyma'r hen siopwr yn anghofio ble'r oedd o am eiliad:

'*Rhif yr emyn; dau gant chwe deg a dimai . . .* '

* * *

Roedd dau siopwr wedi bod yn cystadlu am yr un fasnach mewn tref ers blynyddoedd ac erbyn y diwedd, roedd hi'n o fain ar un ohonyn nhw. Gyda'r hwch yn bygwth a'r bloneg i gyd wedi mynd, doedd gan y siopwr arall fawr o gydymdeimlad. Wrth sôn amdano, meddai:

'*Mae o'n ista ar esgyrn ei din erbyn hyn.*'

* * *

Adeg yr Ail Ryfel Byd, roedd hen lanc o Benmachno yn mynd i nôl ei rashons o'r siop leol. Dwy owns o fenyn oedd ei ddogn a

phan gafodd y lwmpyn bach yn y siop, dyma fo'n codi ac
edrych ym myw llygaid yr un tu ôl i'r cownter.

'Dyda i mi, cyn ta ar ôl bwyd sy ishio i mi lyncu hwn?'

* * *

Enoch yn dod o amgylch Penmaen-mawr hefo merlen a throl
yn gwerthu penwaig jest ar ôl y rhyfel, a Mrs Jones yn gofyn,
'Faint ydyn nhw?'

'Ceiniog yr un,' meddai Enoch.

'Maen nhw'n dena iawn,' medda Mrs Jones.

*'Tena fasa chitha hefyd tasa chi wedi dengid oddi ar ffordd
symbarîns am bedair blynedd!'*

* * *

Ar un cyfnod roedd fferm John Morris yn cael ei reibio gan
lygod mawr, a phenderfynodd gael trapiau newydd. Aeth i'r
Post (yr unig le lle'r oedd teliffon yr adeg honno) i siarad hefo
Ifan Jones, Ironmongers, Caernarfon, ac archebodd chwech.

'Fasa chi yn licio i ni eu gyrru nhw i chi?' gofynnodd y dyn
y pen arall.

'Wel ia,' meddai John Morris. *'Mi fasa hynny yn llawn
hwylusach nag i mi yrru'r llygod mawr atoch chi.'*

* * *

Sêl flynyddol yn Siop Policoff, Bangor ac yn y ffenast gwelwyd
y pennill yma:

'Bobol annwyl daliwch sylw:
Matrass gwely a dau billow,
Papur punt brynith y lot,
Jwg a basin a dau bot.'

* * *

Roedd Denzil wedi gweithio yn y gwaith dur am ddeng
mlynedd ar hugain a nawr roedd hi'n amser iddo fe ymddeol.
Roedd siop drin gwallt gan Nansi ei wraig ac fe benderfynon
nhw byddai'n dda petasai Denzil yn rhoi sgwt fach iddi hi yn y

siop. Fe allai Denzil olchi gwalltiau'r cwsmeriaid cyn iddi hi, Nansi drin eu gwalltau. Ar ei fore cyntaf yn y swydd newydd, a'i gwsmer cyntaf yn dod drwy'r drws, ei eiriau cyntaf wrthi oedd:

'Morning Misys Jôns, ar iw redi ffor e ryb?'

* * *

Fel pob pobydd bara, roedd cadw trefn ar y llygod bach yn waith beunyddiol mewn siop arbennig ym Mhen Llŷn. Yn anffodus, roedd y taclau wedi bod yn baeddu yn y blawd un tro ac yn fwy anffodus fyth roedd un cwsmer wedi darganfod y peli bach crynion duon yn ei thorth ac wedi dod â nhw'n ôl i'r siop i gwyno wrth y pobydd.

'Be ydi'r rhain?' meddai hi gan ddal y peli ar gledr ei llaw.

'Dowch imi gael golwg iawn,' atebodd y pobydd, gan glosio at y dystiolaeth.

Roedd hithau'n gyndyn iawn o'u gollwng o'i gafael ond yn gyfrwys iawn llwyddodd y pobydd i afael yn ei llaw a phigo'r peli oddi arni'n sydyn a'u rhoi yn ei geg. Cymerodd arno ei fod yn eu blasu'n ofalus cyn eu llyncu.

'Cyraints oedd y rheina,' meddai.

* * *

Gŵr yn hel ei neges o siop y pentref ac yn gofyn:

'Ga i dun o **everlasting milk** *gennoch chi?'*

* * *

Roedd un o siopa' Talysarn yn cadw mul i gario blawd. Aeth un o hogia'r pentre oedd braidd yn drwsgwl hefo bob dim yno a gofyn am fenthyg y mul.

'Cei, ond i ti beidio'i falu o!'

* * *

Pan oeddynt yn gwneud y 'lein' o Fangor i Fethesda, dywedodd Gwyddel y buasai yn siŵr o gael y gorau ar Griffith Jones. Gofynnodd y Gwyddel iddo:

'Have you any bacon here, Mr Jones.'

'Yes,' meddai yntau.

'Give me one yard of it, please,' meddai 'r Gwyddel.

Lapiodd Griffith Jones dri troed mochyn mewn papur, ac ysgrifennodd arno, *three feet makes one yard*'.

Lle'r Doctor

Roedd y ddynas feichiog wedi mynd i'r ysbyty i gael ymchwiliad, ac roedd ganddi datŵ ar ei bol: llun pysgodyn.

Pan oedd y meddyg yn rhedag ei fodia hyd ei chwydd, dyma fo'n dweud. 'Mi rydw i'n licio ych morfil chi.'

'*Fasach chi byth yn credu*,' medda hitha fel 'na, '*sardîn oedd o i ddechra.*'

* * *

Yn nauddegau neu dridegau'r ganrif ddiwethaf, roedd taid Evan Dobson yn chauffeur i'r doctor lleol ym mhen draw Llŷn. Daeth yn eira trwm yno un gaeaf – peth anarferol iawn yn yr ardal, wrth gwrs. Roedd un ffermwr ar ochr mynydd Rhiw yn fwy pryderus na'r gweddill gan fod ei wraig yn disgwyl babi ac wedi bwrw'i thymor.

Ffoniodd y lle doctor a dweud bod ei wraig 'wedi cychwyn' ac a fedrai rhywun alw ar frys. Stryffagliodd y gyrrwr drwy'r lluwchfeydd gan lwyddo i gael y doctor i'r buarth yn y diwedd. Cnoc ar y drws ac i mewn ar ei ben.

'Lle mae hi? Lle mae hi?' gwaeddodd y doctor dros y tŷ.

'O, mae popeth yn iawn,' atebodd y ffermwr yn bwyllog. '*Dim ond isio gweld os basach chi'n medru dŵad yma tasa raid yr o'n i.*'

* * *

Ganed merch yn rhy gynnar ond yn ôl ei thad roedd ei chyflwr yn ardderchog, '*er eu bod nhw wedi ei rhoi hi yn yr incinerator am ychydig.*'

* * *

Roedd yna rhyw hen fachgen yn cael trafferthion hefo'i ddŵr. Pan aeth o at y doctor dywedodd hwnnw wrtho fo am ddŵad â 'specimen' i mewn y diwrnod wedyn. 'Fydd dim rhaid i chi aros i fy ngweld i,' medda fo. 'Rhowch o i'r hogan wrth y ddesg.'

Fore drannoeth yr oedd y feddygfa dan ei sang. Pwy ddaeth i mewn ond yr hen fachgen a phot dan gwely yn ei law o yn ei gario fo gerfydd ei glust, a hwnnw yn llawn at ei wefla. Mi aeth â fo i'r hogan gan egluro fod y doctor wedi dweud wrtho fo am ei roi o iddi. Wrth gwrs roedd y ferch wedi gwaredu.

'Wnaethoch chi 'rioed gerdded drwy'r dre hefo hwnna yn eich llaw?' medda hi fel yna.

'*Roedd raid i mi ydach chi'n gweld,*' medda fo. '*Wnaethan nhw ddim gadael i mi ddwad ar y bỳs.*'

* * *

Roedd amryw o'r pentrefwyr yn glaf, a rhai yn yr ysbyty. Wrth siarad am y cleifion, daeth Sais atom, ac meddai un hen fachgen wrtho,

'*We were just saying what a lot of hospitality there is.*'

* * *

Priododd gŵr o Gricieth yn ei hen ddyddiau ac roedd y briodas yn felys iawn am ychydig fisoedd. Gyda hynny, fodd bynnag, aeth at y doctor i geisio ateb i broblem oedd yn ei boeni.

'Dybed fedrwch chi wneud rhywbeth, doctor? Oes 'na bils neu ffisig fedrwch chi ei roi i mi? Dach chi'n gweld mae'r wraig a finnau yn briod ers mis Ebrill a does 'na ddim ôl teulu arni byth.'

'Mmm. A faint ydi'ch oed chi, hefyd?'

'Pedwar ugain a phump.'

Pesychiad.

'Ylwch, does 'na ddim fedra i ei roi i chi fel meddyginiaeth. Mae'n rhaid ichi sylweddoli fod eich oed chi yn eich erbyn chi. Ond peidiwch â digalonni. Ydach chi wedi ystyried cymryd lojar? Mae hynny'n gneud y tric weithiau.'

Ymhen rhyw ddau fis, gwelodd y doctor yr hen ŵr yn cerdded yn dalsyth ar stryd y dref.

'Sut ydach chi Mistar Roberts?'
'Da iawn, diolch.'
'A sut mae'r wraig?'
Lledodd y wên.
'Mi weithiodd tric y lojar i'r dim, doctor. Mae hi wedi cyfloi.'
'O, mae'n dda iawn gen i glywed. Y-hym. A sut mae'r lojar?'
'Wedi cyfloi.'

* * *

Bu dipyn o gynnwrf yn y capel yng Nghricieth pan gafodd un o'r blaenoriaid drawiad ar ei galon yn ystod yr oedfa. Rhoddwyd ef i orwedd ar ei gefn yn y Sêt Fawr, gan lacio'i goler. Gwelodd rhywun fod ganddo fint imperial yn ei geg. Tynnwyd hi allan reit sydyn a'i rhoi ar gongl cadair rhag iddo dagu arni. Doedd dim llawer o olwg dadebru arno serch hynny a rhedodd rhywun i nôl y doctor.

'Ydi, biti garw,' meddai'r doctor ar ôl archwilio'r corff, 'mae o wedi marw.'

Cododd ei ben a sylwi ar gongl y gadair.

'Dow, mint imperial,' a'i rhoi yn ei geg.

Cyfieithwyr

Roedd un person wedi gyrru ei C.V. ar gyfer swydd ac wedi nodi pa bynciau y bu'n llwyddiannus arnynt at ryw lefel neu'i gilydd.

Un ohonyn nhw oedd *General Science*.

Chwarae teg iddo, aeth i'r drafferth o gyfieithu'r ddogfen hefyd, ond pan ddaeth at y General Science yr hyn ymddangosodd yn y Gymraeg oedd:

Cadfridog Gwyddoniaeth.

* * *

Enghraifft o gamgyfieithu gyda'r ewyllys gorau oedd hwnnw ar y cyhoeddiad dyweddïo yn y *Western Mail* rai blynyddoedd yn ôl hefyd:

> 'Mae'n hyfryd gennym gyhoeddi
> dyweddïad Sarah Jane,
> merch ieuengaf T. & R. Davies
> gyda David Williams,
> mab ysgaw M. & Ll. Morris . . .

Mab ysgaw! Mae'n debyg i rywun fynd i'r geiriadur i geisio cyfieithiad o *elder son*.

* * *

Aeth Clwb Pêl-droed Ffostrasol hefyd i ddyfroedd go ddyfnion wrth gyfieithu '*Executive Committee*' yn eu rhaglen ddwyieithog gyntaf.

Yr enw ar y broflen, cyn i'r wasg ei chywiro, oedd:
'PWYLLGOR DIENYDDIO'.

* * *

Roedd nifer o gamgymeriadau mewn gwahoddiad swyddogol gan British Rail yn ôl yn 1994, oedd yn cynnwys *trên drwy Llundain* am *a through London train*, ond mae'r cynnig o *sioe llawr a cernod* yn hollol annealladwy nes i chi ddarllen y Saesneg. Roedd yn amlwg bod rhywun wedi bod wrthi'n cyfieithu gyda chymorth geiriadur, wedi chwilio am y gair Saesneg *buffet* a dewis yr ystyr *cernod (bonclust)* yn lle *bwffe (cownter bwyd)*.

* * *

Mae'r ail enghraifft yn dod o fyd y trenau hefyd. Rai blynyddoedd yn ôl, wrth adael y trên bach yng ngorsaf Blaenau Ffestiniog, gwelwyd yr arwydd canlynol – *Clud Aswy – Left Luggage*.

Steddfota

Roedd canwr yn cystadlu ar yr Her Unawd yn eisteddfod Dinas Mawddwy un tro. Safodd wrth y drws drwy'r gystadleuaeth a phan ofynnodd yr arweinydd os oedd cystadleuydd arall, cerddodd i lawr drwy'r gynulleidfa ac ymlaen i ben y llwyfan. Rhoddodd ei gopi i'r gyfeilyddes a phan ofynnwyd iddo gan yr arweinydd a oedd ganddo gopi i'r beirniad, camodd i flaen y llwyfan gan blygu ei ddwylath a dweud:

'Sgin i ddim copi sbâr, ond mi fedra' i ych sicrhau chi y bydd pob nodyn yn hollol gywir!' Roedd wedi ennill cyn canu!

* * *

Roedd eisteddfod Pentrefoelas yn steddfod fawr, ac yn cael ei chynnal mewn pabell. Bu'n cael ei chynnal trwy ddauddegau y ganrif ddiwethaf. Os y cewch afael ar un o'i rhaglenni swmpus fe gewch lawer o wybodaeth ddifyr iawn ac fe welwch fod gwobrau. anhygoel yn cael eu cynnig – £120 i gôr meibion, a hynny bedwar ugain o flynyddoedd yn ôl. Ta waeth, yn ôl at y stori.

Roedd un côr wedi cyrraedd heb gyfeilydd, a dyma Bryfdir, yr arweinydd yn holi:

'Oes 'na rywun yn gallu chwarae Myfanwy?'

A dyma'r ateb fel fflach o'r gynulleidfa:

'Be 'di hoed hi, uffen?'

* * *

Adroddai fy niweddar dad-yng-nghyfraith hanes am eisteddfod a gynhaliwyd ger Pont ar Ddyfi, Machynlleth. Mae'r capel ger y bont bellach yn dŷ, ond yno ar un adeg yr oedd steddfod lewyrchus yn cael ei chynnal. Byddai'r lle yn orlawn, a chriw o lanciau – neu 'gogie' yn ei iaith ef – yn rhesi hyd y ffenestri. Un tro, roedd rhywun yn adrodd darn am y 'Gog'. Pan ddaeth i'r uchafbwynt, methodd y cogie ag ymatal rhag rhoi mwy o liw i'r adroddiad:

'Ust, dyna'r gog,' oedd i fod, ond yr hyn a glywyd oedd:

'Ust,' – *wedyn sŵn rhech dros y lle* – *'dyna'r gog'.*

* * *

Clywais 'Nhad (Richie Thomas) yn sôn am Bob Elis, Pentrefoelas yn cystadlu yn yr eisteddfod leol, a hynny ar ôl cael boliad o gwrw. Âi ar y llwyfan, pwyso ei fraich ar y piano, a chanu 'Niagra' – sef 'Pleserfad y Niagra', un o'r unawdau 'mawr' i faswr – yn wefreiddiol. Gwyddai pawb yn y gynulleidfa na allai fod yn sicr o sefyll ar ei draed heb gymorth y piano er nad oedd ganddynt unrhyw amheuaeth am ei allu i ganu.

* * *

Mae'n rhaid cael dweud hon hefyd am Bob Elis, er mai mewn cyngerdd y digwyddodd ac nid mewn steddfod. Roedd parti wedi mynd i Birmingham i gynnal cyngerdd. Roedd yn rhaid i'r unawdwyr gyflwyno eu hunawdau cyn canu. Dyma Bob Elis ar y llwyfan a chyhoeddi yn Gymraeg:
'Dwi am ganu "Arglwydd arwain drwy'r anialwch".'
Oedodd ychydig cyn ailadrodd ei gyflwyniad yn Saesneg, wedyn dyma'r clasur yma allan:
'I am going to sing "Lord lead us through the rubbish".'

* * *

Byddai'r diweddar Arthur Vaughan Williams, Llanrwst yn cyfeilio ac yn beirniadu mewn steddfodau. Un tro, ac yntau'n digwydd bod yn beirniadu, daeth un o'r cystadleuwyr ato gan ddangos copi o'r gân yr oedd am ei chanu gan ddweud:
'Fasa chi'n gallu dyrnu'r piano yn o lew ar y darn yma – mae nodau isel i braidd yn wan.'
A'r ateb a gafodd oedd: *'Mae gen i ofn mai beirniadu ydw i yma heno ac nid cyfeilio.'*

* * *

Yn ystod yr Eisteddfod un flwyddyn, gwelwyd Wyn Roberts A.S. ar y Maes a phle bynnag yr elai, roedd haid o brotestwyr yno'n ei howndio, ysgwydd am ysgwydd ag ef.
Gwelodd rhyw Americanes yr olygfa a holodd beth oedd ar droed.

'Protest yn erbyn Llywodraeth Magi Thatcher a'i pholisïau,' oedd yr ateb.

'A phwy ydi hwnna sydd ar y blaen?'

'Wyn Roberts – Aelod Seneddol ac un o'r Torïaid 'ma.'

'Wel, dyna ryfedd – un o'r Torïaid yn arwain protest yn erbyn ei lywodraeth ei hun!'

Ar y Maes Chwarae

Dyma ychydig o berlau a ddaeth o enau sylwebydd pêl-droed:

'Mae'n anodd cael tîm da efo cymaint o bobol yn cael eu gohirio' (yn lle cael eu gwahardd).

* * *

Wrth geisio cyfleu'r chwarae yng nghanol y cae, mae'r sylwadau'n ymylu at fod yn anweddus ar adegau:

'Mae o'n disgwyl nes mae twll yn dwad.'

'Mae 'na dwll mawr yng nghanol y cae.'

'Mae o'n chwilio am dwll yng nghanol y cae.'

* * *

Wrth sôn am y gôl-geidwad un tro:

'Roedd ei sefyllfa'n dda ar gyfer yr arbediad cyntaf a'i sefyllfa'n dda ar gyfer yr ail.'

a'r cyngor i'r chwaraewyr (er mai dynion oedd ar y cae):

'Efallai fod hi eisiau cymysgu'r gêm.'

* * *

Y diweddar Carwyn Davies o Langadog adroddodd rai o'i atgofion ar y radio un tro:

'Stori am Ray Gravell yw hon yn digwydd bod. Ro'n i'n chwarae ar yr asgell y tu fas iddo fe ac mae myrdd o straeon amdano fe. Un tro fe roddodd dacl galed ac effeithiol iawn i un o ganolwyr tîm o Loegr oedd wedi dod lawr i'r Strade i chwarae Llanelli. Yr unig beth am y dacl oedd ei bod hi'n hwyr iawn.

Chwythodd y reff ei bîb a rhoi cic gosb i'r Saeson a cheryddu'r cawr o Gymro –

"Roedd honna'n hwyr, Ray."

Ateb Gravell oedd:

"Gyrhaeddes i cyn gynted a gallen i, reff." '

* * *

'Dro arall, roedden ni'n chwarae rhyw gêm ddibwys ganol yr wythnos, roedd Llanelli ymhell ar y blaen, roedd y tywydd wedi bod yn uffernol drwy gyda'r nos ac roedd hi'n dal i bistyllio y glaw. Roedd Ray wedi cael digon. Chwarter awr i fynd, roedd Ray ar lawr yn galw am y Doctor Dŵr.

Daeth hwnnw a rhoi sylw iddo fe.

"'Migwrn i," cwynodd Ray, "Wi wedi gwneud rhywbeth cas iddi."

"O ie," medde'r Doctor Dŵr a rhoi'r sbwng ar dalcen y canolwr.

"Migwrn i!" llefodd Ray eto. "Yn 'y migwrn i mae'r boen!"

"Falle taw fan'na mae'r boen, Ray bach," medde'r Doctor craff, *"ond lan man hyn mae'r broblem!" '*

* * *

Roedd y canolwr yn rhannu stafell gyda Gareth Edwards cyn gêm ryngwladol un tro. Roedd Ray wedi bod ar bigau'r drain drwy'r noson cynt ond roedd yr hen fewnwr profiadol wedi llwyddo i'w gael i'w wely a chadw'n dawel o'r diwedd.

Yn fuan yn yr oriau mân, roedd Ray wedi deffro ac yn cynrhoni yn ei wely.

Bedwar o'r gloch y bore, fedrai o ddal dim mwy a dyna fo'n codi a mynd draw at Gareth, ei ysgwyd yn iawn a'i ddeffro a gofyn:

'Gareth! Hei, Gareth, bachan! Gysgest ti'n iawn?'

* * *

Stori arall yw honno am gyn-flaenwr caled Castell Nedd, Brian Thomas, pan oedd ei glwb yn chwarae yn erbyn yr archelynion, Aberafan. Roedd hi'n ymladdfa waedlyd ac roedd un sgarmes yn arbennig yn llawn traed a dyrnau. Yr olaf i godi oedd Brian Thomas, yn ddu ac yn las, yn waed dros ei wyneb ond eto'n gwenu fel giât.

Clywyd llais ar y lein:

'Aberafan, cyfrwch eich dynion. Wi'n meddwl ei fod e wedi bwyta un ohonoch chi!'

* * *

Capten y tîm rygbi lleol yn ffonio un o gymeriadau'r clwb ar amser cinio dydd Sadwrn er mwyn ceisio llenwi'r tîm ar gyfer y prynhawn. Mae'r cymeriad yn fach o ran maint ond yn fawr o ran ffraethineb:

'Nei di chwara' heddiw, dwi'n fyr.'

'Dw inna'n fyr hefyd ond dwi ddim am chwara,' oedd yr ateb.

* * *

Roedd tîm pêl-droed Porthmadog wedi cael hanner cyntaf erchyll ac yn ystod yr egwyl aelodau y tîm yn cael 'pregeth' gan y rheolwr yn cynnwys yr ymadrodd: 'Mae eich agwedd yn druenus . . . ' Un o'r tîm yn synfyfyrio fel petai â dim diddordeb a'r rheolwr yn ei holi'n fachog.

'Ychdi – wyt ti'n gwybod be' ydi "agwedd"?'

'Ydw,' atebodd.

'Beth ydio?' holodd y rheolwr.

'Yr agwedd yw fy mugail,' atebodd y chwaraewr!

* * *

Tîm pêl-droed y Rhos, yn chwarae ers talwm o dan yr enw Llannerch Celts ac yn colli adre un pnawn Sadwrn o ddeg gôl i ddim. Y tîm cyfan, wedi'r gêm, yn mynd am gorn-gwddw'r gôl-geidwad ac yn ei gyhuddo o fradychu'r tîm. Ac yntau'n ateb, *'Pam ddiawl ydach chi'n cwyno? Mi roedden nhw wedi pasio deg ohonoch chi cyn fy nghyrraedd i!'*

* * *

Dyn ifanc wedi mynd â'i dad i Lerpwl i weld gêm, ac yn egluro i'w dad beth oedd bwriad y chwarae.

'Yr amcan,' medda fo wrth ei dad, 'ydi cael y bêl i'r rhwyd a chyfri gôl. Welwch chi'r dyn yna sydd yn sefyll rhwng y postia gwyn yna? Gôlcipar ydi hwnnw ac mae'n cael £400 bob wythnos am nadu'r bêl i fynd i'r rhwyd.'

'*Bobol mawr!*' medda'r hen ddyn, '*mi fasa Jac Saer yn ei bordio hi i fyny am £1.50.*'

* * *

Dau chwaraewr yn cerdded am y cae ffwtbol yn ein togs, a hogyn yn cerdded o'n blaenau. Dyma Wil yn deud:

'Rwy'n siŵr bod hwn yn ganwr da.'

'Be nath iti feddwl?'

'*Sbia ar ei goesau – coesau fatha Robin Goch.*'

* * *

Yng nghanol y chwedegau roedd tîm arbennig o dda ym Mlaenau Ffestiniog, a'r chwaraewyr i gyd yn cael eu mewnforio o Lerpwl, ac acen y Sgowsar yn gryf ar faes Cae Clyd. Roedd y tîm ar frig y gynghrair, a'r gwrthwynebwyr ar y Sadwrn hwnnw oedd Pwllheli gyda thîm o hogia' lleol Cymraeg eu hiaith yn llwyddo i ddal y tîm cartref heb sgorio, a'r gêm bron ar ben. Roedd brwdfrydedd y bechgyn o Ben Llŷn yn heintus, a'r iaith Gymraeg yn byrlymu o'u genau wrth iddynt daclo a brwydro am bob pêl yn erbyn y Sgowsars drudfawr. Un o gefnogwyr selocaf, penboethaf y Blaenau oedd Huw B., gwerinwr o Gymro Cymraeg, a gwylltiai yn gandryll wrth weld criw o amaturiaid yn dal eu tir gystal yn erbyn ei hoff dîm. Anfarwol oedd ei eiriau a atseiniai dros Gae Clyd rhyw bum bunud o ddiwedd y gêm: '*Come on Blaena', you must beat these Welsh bastards!*'

* * *

Hen lumanwr o Sais, bychan, pwysig yn rhyw drotian ar draws y cae yn Ffordd Padarn, Llanberis i gymryd ei le ar y lein. Yn sydyn, dyma fo'n aros gan graffu'n orchestol ar y llawr. Cododd asgwrn oedd wedi ei adael gan gi mae'n bur debyg ac yna ei daflu tuag at griw o gefnogwyr Llanberis.

'*Is this the Lanberis butcher shop?*' meddai'n wawdlyd.

'*No*,' atebodd Bert Cae Rhos fel ergyd o wn, '*that's last week's linesman!*'

Un o chwaraewyr Mochdre, yn cael ei gosbi am dacl fudr yn erbyn un o dîm Machno, a'r dyfarnwr yn gofyn am ei enw:

'Gungah Din,' meddai'r troseddwr.

'Paid â bod yn glyfar efo fi,' atebodd y dyfarnwr, 'dy enw iawn di dwi isio,' gan ddenu'r ymateb.

'*O sori reff, – Gungah Din Jones.*'

* * *

Bu Eifion Tan Lan yn chwarae fel cefnwr yn achlysurol i dîm Machno yn y chwedegau, ac ef fyddai cynta' i gyfadde' nad oedd o'r chwaraewr mwya' dawnus yn y byd. Roeddem yn chwarae ar y cae bychan hwnnw yn Nhrefriw, a'u hasgellwr chwith yn tynnu Eifion yn gria'. Cwynai ar hanner amser fod yr asgellwr yn 'ddiawl o un ffast'.

'*Na,*' meddai Guto, '*chdi sy'n ddiawledig o slo.*'

* * *

T.J. Roberts, neu Twm John i bawb yn Llanberis, a chadeirydd hynaws a gweithgar y clwb pêl-droed, yn cael gorchymyn gan gefnogwyr y tîm i fynd i gael gair â'r dyfarnwr yn ystod y toriad i ofyn am esboniad i ddyfarniad amheus a arweiniodd at gôl i'r gwrthwynebwyr. Bu Twm i mewn yn ystafell y dyfarnwr am rhyw dri munud cyn ymddangos yn y drws.

'Be dd'udodd o Twm?' gofynnodd rhywun.

'*Fawr o ddim,*' meddai Twm gan adael y drws yn agored, '*ond dyna fo, be arall sydd i'w ddisgwyl gan greadur sy'n awdurdod ar anwybodaeth!*'

* * *

Twm John a'i fêt, y diweddar Alun Roberts, yn eistedd yn barchus yn y stand yng nghae Ffordd Farrar, Bangor mewn gêm rhwng ail dîm clwb y ddinas a Llanberis. Yn sydyn, dyma Twm yn bloeddio ei ddirmyg at y dyfarnwr.

'Ty'd laen y llipryn uffar!'

'Twm,' meddai Alun, 'be ydi llipryn?'

Ymdawelodd cefnogwyr Llanbêr yn syth gan sylweddoli fod yr hen Alun wedi rhoi ei droed ynddi.

191

'Sgin ti firror adra Robaits?' gofynnodd Twm yn bwyllog.

'Oes.'

'Wel sbia ynddo fo heno ac mi weli un!'

Torrodd bonllefau o chwerthin allan gan dynnu sylw y chwaraewyr hyd yn oed!

* * *

'Sbia ar hwn yn trio chwara – mae o fatha camal y corsydd wir Dduw!'

'Pam camal y corsydd Twm?' mentrais ofyn.

'Welist ti gamal mewn cors rioed?'

'Naddo.'

'Wel, welist ti rioed chwaraewr fatha hwn chwaith!'

* * *

Llamodd bachgen ifanc tal, main ac esgyrnog allan o'r stafelloedd newid gan frasgamu i'r cae. Roedd ei gluniau yn anarferol o hir ac yn anffodus roedd ei shorts yn llawer rhy fychan a thynn.

'Welis i ddim byd tebycach i filgi sipsiwn myn diawl,' meddai Twm. *'Sbia arno fo, tydi o'n ddim byd ond clunia, sena a phidlan!'*

* * *

Un o gefnogwyr selocaf Llanberis oedd y diweddar Barchedig Herbert Thomas, Ficer Llannor ger Pwllheli. Byddai'n teithio'n wythnosol i weld gemau'r Darans. Un o'r chwaraewyr mwyaf dawnus i wisgo'r du ac ambr oedd Emlyn Davies. Heb os, Emlyn oedd arwr mawr Herbert Thomas. Cofia Emlyn iddo gymryd cic gornel mewn gêm bwysig. Edrychodd tuag at y gôl a phenderfynodd anelu ei gic at ben Walsh, blaenwr galluog Llanberis. Chwipiwyd y bêl ar draws a pheniodd Walsh hi i'r rhwyd. Cyn pen eiliad, teimlodd Emlyn gnoc ar ei wegil a'i tarodd i'r llawr. Yn ei orfoledd, fe ruthrodd Herbert Thomas ar y cae i longyfarch Emlyn gan ei daro ar ei wegil. Roedd Emlyn bron yn anymwybodol erbyn hyn a bu'n rhaid ei gario o'r cae!

* * *

Orig Williams yn cyfarch ei wrthwynebwyr eiliadau cyn cychwyn y gêm. *'Dew, mae'n rhaid 'i bod hi'n galad arnat ti. Gorfod chwara'r mascot heddiw!'*

* * *

Brian Corbri, Llechid Celts yn fy nghyfarch cyn y gêm,
    'Lle fasat ti'n licio mynd heddiw – *C and A* 'ta *St David's?'*
(Ysbytai ym Mangor). Atebais innau yn rhyw ffug hyderus,
    'Mi a' i i'r C and A *ac mi gei ditha fynd i* St David's *– fanno maen nhw'n gyrru babis!'*

* * *

Chwaraeai Teddy Buck i Lanberis yn nechrau'r ganrif. Ei gyfarchiad uchel i'w gyd-chwaraewyr cyn bob gêm fyddai, 'Sud dîm 'di hwn hogia?'
    'Go lew,' fyddai'r ateb rheolaidd.
    'Dwi'm yn meddwl y tynna' i 'nannadd gosod heddiw 'lly,' fyddai'r ychwanegiad rheolaidd.

* * *

Gwilym Owen yn cofio sylw yn cael ei wneud gan hen wàg pan oedd yn dyfarnu gêm yng Nghaergybi,
    'Ty'd i sefyll i fa'ma India Roc Llanarch-y-medd, i chdi ga'l gweld pa mor sâl w't ti!'

* * *

Cofia Gwilym y byddai'n cael dŵr cynnes i ymolchi ym Mhwllheli pan fyddai'r tîm yn ennill – ond dŵr oer os y byddent yn colli!

* * *

Gwyn Pierce Owen, dyfarnwr enwoca' gogledd Cymru yn dyfarnu gêm rhwng dau dîm o Ynys Môn. Roedd Gwyn yn adnabod bob un o'r chwaraewyr wrth eu henwau a hwythau yn naturiol yn ei adnabod yntau. Chwythodd Gwyn ei bib pan welodd dacl egr a galwodd y drwgweithredwr ato. Taerai'r chwaraewr ei fod yn ddiniwed.

'Enw?' gofynnodd Gwyn.

'Nefoedd fawr, Gwyn,' meddai'r chwaraewr, *'o'n i'n gw'bod dy fod ti'n ddall – ond to'n i ddim yn gw'bod dy fod di wedi colli dy blydi co' chwaith!'*

Chwarae ar y Radio

Detholiad (bychan!) o'r geirio'n gam a ddarlledwyd gan sylwebwyr chwaraeon ar y radio:

'Ar ddiwedd y dydd, yr hyn sy'n bwysig ydi faint o bwyntiau sydd gan y tîm ar ddiwedd y tymor.'

* * *

'Ia, heddiw ydi diwrnod gêm derfynol y Cwpan – a does 'na ddim ond dau dîm ar ôl yn y gystadleuaeth.'

* * *

'Mae gen i ddyled fawr i fy rhieni yn hynny o beth – yn arbennig fy mam a nhad.'

* * *

'Mi fydd yn benwythnos prysur ar gychod môr Iwerddon – yn arbennig ar ddydd Sadwrn ac ar ddydd Sul.'

* * *

'Ac mae hi'n gic hawdd i Neil Jenkins, ond – fel mae pawb yn gwybod – does yna 'run gic yn hawdd.'

* * *

Un o hogia Dyffryn Conwy yn brentis pêl-droediwr yn Wrecsam flynyddoedd yn ôl.

Doedd ganddo fo na'i fêt ddim syniad o sut i gael hyd i'r tŷ lojin ar ôl bod adra am ddiwrnod neu ddau. Ond roeddan nhw'n cofio bod rhaid troi i'r dde o'r stesion a throi i'r dde wedyn wrth ymyl rhyw dŷ mawr gwyn.

Dyma nhw'n cyrraedd yn ôl i Wrecsam un tro a chrwydro'r strydoedd am oriau yn chwilio am y tŷ, ar goll yn lân. Tra oeddan nhw adra roedd rhywun wedi paentio'r tŷ mawr gwyn yn binc!

Gwerthu Shwrans

Dynes yn cerdded ar hyd stryd fawr Pwllheli un bore Sadwrn pan welodd gar yn dod fel mellten rownd y gornel. Rhuthrodd yn ei flaen lawr y lôn ac yn syth i mewn i Vauxhall Astra newydd sbon wedi'i barcio'n dwt wrth y pafin. Synnodd weld y gyrrwr yn dod allan o'i gar ac astudio'r niwed. Roedd o wedi rhoi dipyn o gusan i ochr y car ac roedd yno dolc anferth. Gyda hynny tynnodd bin dur smart o'i boced a rhwygodd ddalen o'i ffeiloffaith a dechreuodd sgrifennu ar y papur cyn ei osod yn daclus dan y weipar. Yna aeth yn ôl i mewn i'w gar a gyrru i ffwrdd, braidd yn gyflym eto yn ei thyb hi. Yn syth bin daeth perchennog y car tolcedig allan o'r siop a dychryn o weld y niwed i'w gar.

'Peidiwch â phoeni,' meddai'r ddynes, 'mae o wedi gadael ei fanylion ar damaid o bapur.'

Tynnodd y gŵr y nodyn oddi ar ffenest y car a dechrau ei ddarllen. *'Mae arna i ofn,'* meddai'r nodyn, *'fy mod i wedi rhoi clec go arw i dy gar ond gan fod yna hen ddynes fusneslyd yn fy ngwylio dw i'n smalio sgwennu fy enw a manylion fy nghar ar y papur hwn.'*

* * *

Dro'n ôl, roedd modryb i mi wedi bod wrthi'n glanhau'r ffliwiau, ac yn naturiol, roedd ôl parddu'n drwm arni. Gwelodd y Dyn Siwrin yn dod drwy llidiard yr ardd, a rhag iddo'i gweld mor fudr, cuddiodd yn y twll dan grisiau.

'Siarada di hefo fo, dydwi ddim yma,' meddai wrth f'ewyrth.

Roedd rhyw fusnes i'w drafod, a bu'r ddau'n sgwrsio am beth amser, yna dechreuodd y Dyn Siwrin weithio rhyw symiau allan yn dawel. Wedi rhai eiliadau o dawelwch, agorodd drws y twll dan grisiau, a daeth y ddrychiolaeth bardduog allan gan ofyn,

'*Ydi o wedi mynd?*'

* * *

Hogyn ifanc o Fangor wedi ei gwneud hi'n dda yn gwerthu yswiriant ac isio dangos i'r byd, a'r fodins yn arbennig, gymaint o lwyddiant oedd o. Mi benderfynodd fynd am gar smart ac ar ôl hir chwilio cafodd hyd i Porsche coch yn Llandudno. Roedd o'n methu'n lân â chredu'i lwc pan gafodd wybod y pris. Holodd yn daer oedd rhywbeth yn bod ar y car a'r ateb oedd 'na' pendant gan y gwerthwr craff. Wel, wedi astudio'r carn yn fanwl cytunwyd ar bris, a oedd yn ei farn o yn fargen. I ffwrdd â fo yn ei gar newydd i geisio denu merched tlws y fro. Mi fu'n llwyddiannus iawn, un pishyn ar ôl y llall, ond un ar ôl y llall fe sylwon nhw ar ryw ddrewdod annionddefol yn dod o'r car ac ni allai'r un ohonyn nhw ddiodde'r ogla. O wythnos i wythnos gwaethygu wnai'r sawr, fel dafad wedi marw, neu faw ci ar wadan esgid. Yn y diwedd gorfu i'r llanc ddychwelyd y car i'r garej ac fe'i synnwyd pan gytunodd y perchennog tew ad-dalu pob ceiniog ar unwaith. Wedi hir holi a stilio eglurodd dyn y garej mai dyn busnes digon amheus o Fanceinion oedd perchennog gwreiddiol y car. Pan oedd hwnnw wedi mynd ar ei wyliau i Dwrci a heb ddod yn ôl ar ôl rhai misoedd adfeddiannwyd y car gan y cwmni, a darganfuwyd ei gorff pydredig yn dadfeilio yng nghist y car. Dyna oedd yr arogl ffiaidd.

Yn y Garej

Gŵr a gwraig o Lanfairpwll ar fin cychwyn i brynu'r neges wythnosol yn Kwik Save pan fethodd y car â thanio. Trio fuon nhw am ryw ddeng munud cyn i'r wraig benderfynu y cerddai hi'r cwta hanner milltir i'r siop tra'r oedd ei gŵr yn trwsio'r car.

Beth bynnag o fewn yr awr dyma hi'n dychwelyd a gweld coesau ei gŵr yn sticio allan o dan y car lle'r oedd o'n amlwg yn gweithio. Yn araf deg llithrodd ei llaw ar hyd ei goes a dechrau mwytho rhan neilltuol o'i gorff cyn mynd â'r neges i'r gegin. Dychmygwch ei syndod o weld ei gŵr yn eistedd yno'n yfed coffi. Rhuthrodd y ddau allan a chael y mecanic druan yn anymwybodol o dan y car, wedi trawo'i ben ar ôl cael ei fwytho mor annisgwyl.

* * *

Un o'r credoau am y car. Mae modd arbed petrol. Sut meddech chi? Wel hawdd, dim ond gosod olwynion mwy yn y cefn ac fel yna mi fyddwch chi o hyd yn teithio ar i lawr!

* * *

Stori Wil Sam:
Noson cyn Dolig oedd hi pan alwodd Owen Jones o Langybi i nôl petrol yn ei feic cacwn. Roedd o'n cario bag neges ar ei gefn a phedair rifflector goch fflamgoch, un ar ei bedair cornel, a phedair arall ar gynffon y beic. Er i Owen ganu ei gorn droeon mi gymrodd Twm yn hwy nag arfer i fynd at y pwmp.

'Ro'n i ar gychwyn o'ma,' medda Owen, 'a'i gneud hi am Griciath i chwilio am betrol.'

'*Ma'n wir ddrwg gin i Ŵan bach,*' meddai Twm, '*ro'n i'n meddwl mai crysmas trî oeddat ti.*'

* * *

Dic yn llnau plwg y Sunbeam, a Robin yn galw heibio ar ei Norton, ac yn craffu uwchben Dic a'i frws weiran. 'Pa blwg s'gin ti lad?'
Dic: KLG.
Robin: O. Champion ydi'r gora o lawar.
Dic: Sut felly?
Robin: *Mae o'n tanio mwy siriol.*

* * *

197

Criw o hogia motobeic wedi hel at 'i gilydd ger pont pentra Llanystumdwy, pob un o'r beicia'n rhai nerthol a drudfawr. Toc, dyma Now, gwas ffarm o ardal Pantglas yn cyrraedd ar feic bychan 'Red Panther 250cc'.

'Ble cest ti hwn?' oedd cri pawb.

'Brynu o daru mi,' meddai Now, 'brynu o yn Prifid and Clarc Llundain am thyrti tŵ pownd, dwy bunt i lawr a thalu rwsud rwsud.'

'Ydi o'n ffast?' medda rywun.

'Ydi,' meddai Now, 'mi ges i eti ffyif ohono fo ar gwastad Caera.'

'Paid â rwdlan,' medda un arall, 'chest ti rioed eti ffiyf o'r twdlyn bach yma.'

'*Do ar y marw,*' medda Now, '*ne dyna oedd y sbidomirot yn 'i ddeud.*'

Yn y Dafarn

Yn aml mewn ardaloedd gwledig bydd y trigolion yn brin o arian, felly yn hytrach na mynd ar ofyn y banc, gofynnir i'r tafarnwr am 'slaten'. Ar un achlysur gofynnwyd i dafarnwr yn Nhrefdraeth am £10 ar y 'slaten' er mwyn cael talu am dacsi i Abergwaun. Ond wrth aros am ei dacsi dechreuodd y teithiwr yfed, ac aeth un peint yn ddau, ac erbyn i'r tacsi gyrraedd roedd wedi hala'r £10. Felly dyma ofyn am £10 arall, ond gwrthod benthyca mwy wnaeth y tafarnwr a medde'r cwsmer wrtho, '*Diawl, wyt ti di ca'l y ddecpunt ginta nôl 'da fi'n barod, ac os nad wyt ti'n nghredu, drycha yn y til!*'

* * *

Tro arall dyma'r un cymeriad yn gofyn i'r tafarnwr am sigarét. Dyma fe'n cael y sigarét a medde'r rhoddwr hael, braidd yn ddiamynedd, 'Wes tân 'da ti?'

'*Na wes,*' oedd yr ateb, '*ond paid becso, ma' digon o fflint ar yr hewl tu fas.*'

* * *

Un diwrnod roedd y 'falen' arno a dyma fe'n gofyn wrth y bar am hoelen, a medde un o'r cwsmeriaid wrtho,

'At beth wyt ti mofyn hoelen?'

'I ga'l hongian mirror *yn y rŵm ffrynt fel bo cwmpeini 'da fi, achos allai ddim ffwrdo mynd mas i dablenna!'*

* * *

Roedd ffyddloniaid y *Castle* wrthi'n trafod trychineb y *Sea Empress* oddi ar arfordir Sir Benfro a medde un ohonynt,

'Ma' gwyddonwyr wedi gweld "oil slic" fowr rhwng Dinas a Tydrath.'

'Paid â bod yn ddwl,' oedd yr ateb. *'Wedd nosweth* promotion *Guinness 'ma neithiwr.'*

* * *

Roedd *barmaid* un tafarn wrthi yn ceisio dysgu Cymraeg, a phenderfynodd geisio cael sgwrs gydag un o barchusion y fro. Wedi iddo archebu ei wisgi dyma hi'n gofyn iddo:

'Gymerwch chi rhyw gyda'r wisgi?'

* * *

Mae'n ddigwyddiad mawr mewn unrhyw dafarn pan fydd rhywun newydd yn dechrau gweithio yno. Mae'n rhaid, wrth gwrs bod y diaconiaid wrth y bar yn cael dweud eu dweud. Rhaid pwyso a mesur sgiliau'r geithiwr newydd, ac yn arbennig y dechneg o 'arllwish y dablen'. Tynnodd un ferch anffodus beint o Guinness a golwg digon diflas oedd ar wyneb y cwsmer wrth dderbyn ei foddion. 'Drycha,' medde fe, *'Coler Ficer dwi mofyn ar y peint 'ma, ddim Coler Esgob!'*

* * *

Wrth gwrs gwaethygu mae'r feirniadaeth os nad yw'r sgiliau yn gwella. Dyma rai o'r sylwadau wnaed am un stiwdant oedd heb fawr o siâp arni:

'Jiw, na un ddelffedd yw hon. Ma' mwy o afel yn basned o bwdin reis.'

'Dim arllwish y dablen miwn i'r glas ma' hon yn neud, ond i ddiwel e.'

'Gaffle hon Houdini 'da'r cerdded nôl a 'mlân sy' 'da'i.'

Disgrifiwyd un *barmaid* nad oedd gyda'r perta o rocesi'r fro fel 'ffwrwm waith', ac fe ddywedwyd am un tafarnwr werthodd being nad oedd yn plesio, *'Ma' hwn yn gweithio i Ddŵr Cymru!'*

* * *

Os yw'r peint yn plesio anodd yw gadael ar ôl un. Wrth gwrs, ar adegau mae'r dablen yn mynd yn drech a rhaid ei throedio yn ofalus tua thre. Dyma ddywedwyd am un dyn, 'Wedd e'n cered getre, a rhofio'r un pryd.' Mae'n ddiddorol nodi bod y meddwyn yn aml yn cael ei gymharu ag anifail. Dyma ddisgrifiad gŵr o ardal Abergwaun ar ei daith sigledig adref,

'Wedd e'n cered fel psio eidon a boichen yr un pryd.'

Rhoddwyd gair o gyngor am un wraig arbennig i ddieithryn yn y dref,

'Gofala ar ôl honna, mae fel hwch llodig ar ôl ca'l un yn ormod.'

* * *

Ond, os yw'r llogell yn wag a'r slaten yn llawn rhaid ei throedio hi, a dyma rai o'r dywediadau dwi wedi clywed am unarddeg nos Sadwrn:

'Gwell iawnid hi am getre, neu swper Narberth fydd hi heno.' (Dyna ble mae'r amlosgfa leol.)

'Glanhau pen y ddafad byddai bore fory.'

'Bydd ddim arian codi'r "latch" 'da fi fory.'

* * *

Roedd hen dyddynnwr wedi'i dal hi braidd ac yn bur ddryslyd wrth geisio cael hyd i'w ffordd adref. Mi fethodd droiad a chael ei hun ar ffordd drol yn arwain i'r mynydd. Ym mhen dipyn, mi ddaeth honno i'w phen draw – wal gerrig a dim modd mynd ymhellach.

'Wel, dyna hen dro,' medda fo. *'Y ffordd wedi darfod a finna byth wedi cyrraedd adra.'*

* * *

Gofyn yn y gwaith yn Nhrefor oedd Owen Rowlands a chan nad oedd tŷ tafarn yn Nhrefor ar y pryd âi i'r dafarn yn Llanaelhaearn am ei beint ryw ddwywaith neu dair yr wythnos. Un noson pan ddychwelai Owen Rowlands o'r dafarn pwy oedd yn pwyso ar giât ffrynt ei dŷ ond y Parchedig W.D. Evans, Gweinidog Maesyneuadd lle'r oedd Owen Rowlands yn aelod. Gwelodd Mr Evans y botel beint o gwrw oedd ym mhoced Owen Rowlands ac meddai wrtho,

'Wyddwn i ddim eich bod chi yn gymryd â'r ddiod feddwol.'

'Anamal iawn; byth bron, ond mi oedd hi'n boeth iawn yn y gwaith yma heddiw ac yr oedd Jôs, Jôs, sy'n byw drws nesa' i mi bron â thagu eisiau diod. A mi gynigiais fynd i Lan'huiar i nôl potelaid i'w rhannu. A mi gawn ni 'rŵan hanner bob un'. 'Wel, pam na thaflwch chi eich hanner chi Owen Rowlands?' meddai'r Gweinidog. *'Fedrai ddim,'* atebodd yntau, *'yr hanner isa' o'r botel pia' fi!'*

* * *

Mae tafarnwr mewn lle da i glywed ambell ymadrodd lliwgar. Daeth un cwsmer i mewn a'i dafod yn grimp gan ddweud:
'Mae 'ngheg i mor grimp â fflip-fflap Ghandi.'

* * *

Dro arall, lawn cystal nad yw'r un tu ôl y bar yn clywed y sylwadau. *'Mae'r barmed,'* meddai un o'r ffyddloniaid, *'yn edrych fel cneifiwr efo tethi.'*

* * *

Dau foi yn nhŷ bach y dafarn, un yn ei arddegau a'r llall dros ei hanner cant. Wedi gorffen 'pasio dŵr' aeth y boi ifanc yn syth am y drws. Yn sydyn galwodd yr hen foi arno:

'Hei – pan o'n i'n ifanc ges i fy nysgu i olchi 'nwylo ar ôl bod yn tŷ bach.'

A'r boi ifanc yn ei ateb:

'Pan o'n i'n ifanc ges i fy nysgu i beidio piso ar fy nwylo.'

* * *

Fel y mwyafrif o feirdd ei oes, roedd Twm o'r Nant yn hoff o hanner peint. Roedd ar daith unwaith i dref Dinbych, a galwodd am wydriad o gwrw yn nhafarn Nantglyn. Wrth fynd adref, galwodd yno drachefn am ei hanner peint, ond meddai gwraig y dafarn wrtho, gyda phwyslais ar ei geiriau,

'Y mae o wedi darfod.'

'Dw i'n synnu dim,' meddai Twm, *'roedd o yn wael arw y bore.'*

* * *

Ydych chi wedi clywed yr un am y ffarmwr o Langwm yn mynd at y bar yn y Llew Gwyn yn y Bala ac yn ordro *'Double Whisky please – and put some frost in it . . . '*

* * *

Mae llawer o sôn nawr am agor y tafarnau drwy'r dydd – am 24 awr. 'Slawer dydd roedd llawer o dafarnau yn y wlad ddim yn ffwdanu cadw at yr oriau swyddogol ac ar agor drwy'r dydd neu'n hwyr iawn yn amal. Fel arfer doedd y plismon lleol ddim yn gwneud sylw o'r poeth heblaw bod rhyw drwbwl 'na.

Un tro fe ddaeth Prif Gwnstabl newydd ac fe benderfynodd fod yn llym ynglŷn ag oriau agor. Roedd e'n anfon plismyn o gwmpas i sichrau bod y tafarndai'n cau ar amser. Roedd hi tua dau o'r gloch y bore pan ddaeth cnoc ar ddrws tafarn Penbryn. Fe waeddodd rhywun, 'Plisman!', ac fe redodd pawb mas drwy'r drws cefen i'r ardd a dros ben clawdd a dianc. Ond roedd un hen foi ddim yn ystwyth iawn ac yn ffaelu mynd dros ben clawdd. Fe guddiodd e fan'ny yn ei gwrcwd yng nghanol y riwbob.

Dyma'r plismon yn dod mas, goleuo'i fflashlamp ac yn gweld yr hen foi.

'Helô, helô,' medde fe, 'Beth ych chi'n neud fan hyn?'
*'Chwynnu! Mae'n dda'ch bod chi 'di dod â gole, achos roedd
hi'n dechreu tywyllu!'*

* * *

Un o hogia dre yn mynd adref ar ôl cael llond bol o gwrw.
Roedd yn cael trafferth mawr dod o hyd i'r twll clo i agor drws
ffrynt ac roedd bron â marw eisiau troi clos. Doedd dim amdani
ond mynd i waelod yr ardd i wneud ei fusnes.

Ar ôl y rhyddhad, aeth yn ôl at y drws i drio mynd i'r tŷ.
Meddyliodd wrtho'i hun y dylai glirio'r llanast yng ngwaelod
yr add cyn mynd i mewn, felly yn ôl a fo i waelod yr ardd i
chwilio am y lwmpyn – ond methodd yn glir a dod o hyd iddo.
Ta waeth meddyliodd, ac i mewn i'r tŷ a fo ac i'w wely.

Yn y bore, deffrodd ac agorodd ffenest y llofft i gael awyr
iach.

Aeth yn ôl i orwedd ar ei wely a gallai glywed ei fam allan
yn yr ardd yn siarad gyda'r ddynes drws nesaf.

'Ew, mae Caernarfon 'ma wedi mynd yn lle diawledig i
fyw,' meddai'r ddynes drws nesaf.

'Pam 'da chi'n dweud hynny?' gofynnodd mam y
meddwyn.

'Does 'na'm parch at neb na dim,' oedd yr ateb gafodd hi,
*'Wyddoch chi be ddaru rhywun neithiwr? Cachu ar ben 'y
nhortois i!'*

* * *

Twm a Dai yn cerdded sha thre o'r *Lion*, wedi cael un neu ddau
yn ormod, ac yn mynd heibio arwydd *'2 Acre Field For Sale'* –
"Sdim whant arno ti byrnu'r câ 'na 'te?' gofynnodd Twm.

'Paid â siarad dwli achan,' oedd yr ateb, *'Sda fi ddim lle i'
gadw e.'*

* * *

Llond pedwar bỳs wedi mynd o Stiniog i Blacpwl am y dydd.
Yna, dpan ddaeth hi'n amser dychwelyd, roedd y bỳs cynta yn
mynd â'r parchusion prydlon adra, ac felly'n y blaen nes bod y

bỳs olaf yn disgwyl am y cnafon di-hid rheiny oedd â'u hwynebau'n goch, ond nid oherwydd haul glan môr. Dyma gyrrwr y bỳs yn cychwyn colli'i dymer rŵan a cherddded sy tafarndai ac yn gweiddi ar griw Stiniog 'i fod o'n mynd mewn pum munud, waeth pwy oedd ar y bỳs, neu ddim arni.

Dyma'r hogia yn llowcio ac yn hel eu traed, ond wrth adael un dafarn, dyma un o griw Stiniog yn sylwi ar gydnabod iddo o'r un dre yn feddw fud yng nghornel y stafell.

'Yli Wil 'cw,' meddai'r Samariad, 'mae o'n rhy chwil i siarad heb sôn am gerdded.'

'Lwcus iti 'i weld o,' meddai un arall, 'mi fasa'r bỳs wedi'i adael o ar ôl yn saff iti.'

Gyda gofal, cariwyd Wil ar y bỳs yn ddiogel, a dyma'r cyfeillion yn ei gario i'w gartre' rôl cyrraedd Stiniog, achos doedd Wil byth wedi dod ato'i hun.

Dyma guro a churo ar y drws, ond nid oedd ateb i'w gael. Toc, dyma ffenest drws nesa yn agor a'r gymdoges yn rhoi'i phen allan:

'Waeth ichi heb na chnocio yn fan'na achos mae o a'r wraig newydd fynd am wsnos o wylia i Blacpwl.'

* * *

Aeth cymeriad i dafarn yng Nghonwy gan ofyn i'r tafarnwr os oedd o'n cadw wisgi ar ei silffoedd.

'Ydw,' meddai'r tafarnwr yn falch. 'Un o wisgis gorau yr Alban – mae hwn wedi'i gadw mewn casgen dderw am ugain mlynedd.'

Dyma dywallt joch i'r cwsmer – roedd hyn cyn dyddiau'r mesur parod wrth gwrs. Dyma'r cwsmer yn edrych ar y wisgi yn ei wydryn a dweud yn reit sych:

'Hm, mae hwn reit fach o'i oed hefyd yn tydi?'

* * *

Roedd diwrnod Ffair Llanllyfni yn achlysur pwysig iawn erstalwm. Mi roedd yna un hen was ffarm o gyffinia' Drws-y-coed a'r unig adeg oedd o'n gadael y ffarm o gwbwl yn ystod y flwyddyn oedd i fynd i'r ffair.

Cyrhaeddodd y pentre a hithau'n ddiwrnod poeth un

flwyddyn ac i ffwrdd â fo i'r *Quarryman's Arms*. Roedd fan'no'n orlawn a'r perchennog tu ôl i'r bar yn laddar o chwys.

'Ia,' medda hwnnw'n siarp. 'Be gymrwch chi?'

'Run fath â llynadd!'

* * *

Athrawon

Roedd plant y dosbarth i fod i sefyll mewn dwy res daclus, ond roedd y bechgyn yn aflonydd.

'Beth sy'n bod arnoch chi?' meddai'r athrawes. **'Mae'r llinell yma wedi mynd yn gam yn syth!'**

* * *

Yr un athro druan wedyn, yn ceisio paratoi at ymweliad arall gan siarsio'r disgyblion,

'Beth bynnag fydda i'n gofyn wrthach chi fory dw i isio gweld pob llaw yn codi, hyd yn oed os nad ydach chi'n gwbod yr ateb. Os ydach chi yn gwbod yr ateb go iawn codwch ych llaw dde, ac os nad ydach chi'n gwbod codwch ych llaw chwith.'

Cychwynnodd y wers dan sylw a dyma lle'r oedd yr athro'n egluro rhyw gysyniadau dyrys i'w ddosbarth ac yn gofyn iddyn nhw ateb cwestiwn am y gwaith. Gyda boddhad mawr syllodd ar y dosbarth i gyd yn codi llaw a meddyliodd am yr argraff dda roedd o'n wneud ar yr arolygydd. Ond wedyn wrth deimlo'r chwys oer yn rhedeg lawr ei feingefn sylweddolodd mai dwylo chwith yn unig a welai yn ymestyn i'r nen.

* * *

Stori am ymweliad arolygydd yw'r nesaf. Roedd yr athro yn siarad â'i ddosbarth.

'Ylwch,' medda fo wrthyn nhw, 'mae gynnon ni arolygwyr yn dŵad fory ac mi fydd un yn dŵad i'n gwers ni, felly dw i am i chi ymddwyn eich gorau. Dach chi'n dallt? Fe gawn ni'r un un wers fory eto felly mi fydda i isio gweld pawb yn ateb y cwestiyna. Gwers go iawn, nid fel dan ni'n arfer ei chael ac wedyn mi gewch chi wers rydd ddydd Iau. Pawb yn dallt, unrhyw gwestiynau?' Ac ar hynny cododd un llaw fach yn y cefn.

'Ia, be wyt ti isio?' medda'r athro yn ddigon sarrug.

'*Fe,*' atebodd yr un yn y cefn, '*ydy'r arolygydd, a heddiw dan ni yma, nid yfory.*'

'Can't speak Welsh'

Roedd gwraig o sefydliad addysgol yng Nghaerdydd wedi gofyn i ysgrifenyddes yn ei hadran i archebu ystafell iddi yng ngwesty'r Wynnstay ym Machynlleth ar gyfer yr wythnos ganlynol. Ddiwrnod cyn cychwyn ar y daith aeth at yr ysgrifenyddes i wneud yn siŵr bod popeth yn iawn.

'*I've booked you into the Wynnstay in Oswestry,*' meddai'r ysgrifenyddes. '*I couldn't pronounce Machynlleth.*'

* * *

Cododd athrawes lanw Gymraeg o ardal Llangernyw alwad o'r swyddfa addysg yn yr Wyddgrug un bore yn gofyn iddi fynd i lenwi bwlch yn ysgol Llansilin erbyn naw o'r gloch. Roedd ganddi drigain milltir i'w wneud mewn deng munud. Gofynnodd i'r ysgrifenyddes ddi-Gymraeg oedd ddim posibl iddi gael rhywun yn nes at yr ysgol gan esbonio'r broblem ynglŷn â'r pellter.

'*Oh, I didn't realise it was so far,*' oedd yr ateb o'r swyddfa addysg. '*I thought all the "llans" were together.*'

* * *

Athro mewn gwers fywydeg yn gofyn i'r disgyblion, 'Fedrwch chi roi enghraifft i mi o gadwyn fwyd?'

Dyma un a'i law i fyny yn syth –

'*Tesco, syr.*'

* * *

Mae llawer o'r Cofis bach yn gyfyngedig i'r byd rhwng waliau'r dre, heb fawr ddim cefndir gwledig na syniad am fyd natur, er nad ydyn nhw mewn gwirionedd ddim ond yn byw chydig o gopa'r Wyddfa.

Aeth un athro â chriw o blant am dro i'r wlad wrth ymyl ei gartref. Ar lwybr y mynydd, dyma 'na gwningen yn mynd ar wib o'u blaenau.

'Chi pia honna, Syr?' oedd cwestiwn un o'r Cofis nad oedd wedi gweld cwningen y tu allan i gwt weiars o'r blaen.

Roedd 'na wennol yn yr awyr uwch eu pennau ond wrth ofyn am ei henw, y cynnig a gafodd yr athro oedd 'hawk'. A phan ddangosodd ddeilen dderw a holi deilen pa goeden oedd hi, yr ateb a gafodd oedd:

'Coeden adar.'

* * *

Mae atebion plant bob amser yn cyfrannu at ddifyrrwch y dosbarth.

Roedd yr athro'n digwydd sôn am olew yn y wers Wyddoniaeth. Gofynnodd i'r plant am enw gwlad sy'n cynhyrchu olew:

'Nage, nid gwlad ydi Sir Fôn ond rhan o wlad.'

Roeddynt yn cael cryn drafferth i feddwl a dyma'r athro'n rhoi help iddynt drwy ddweud:

'Mae 'na rai wrth ymyl Israel ac yn dechrau efo "I".'

'Ijipt,' meddai un arall.

'Nage, efo "E" mae'r wlad honno'n dechrau.'

Dim mwy o gynigion, felly dyma gynnig cliw:

'Mae Sadam Hwsen yn byw yn un ohonynt.'

'Blaenau Ffestiniog,' meddai rhywun.

O'r diwedd, cawsant Iran a bu'n rhaid dweud Irac a Sawdi Arabia wrthynt.

'Mae 'na wlad fach yn dechrau efo "K" yn Saesneg.'

'Canada' oedd yr ateb.

Yn anffodus, daeth y gloch i darfu ar y difyrrwch.

* * *

Roedd athro arall yn rhoi gwers ar bwysigrwydd yr Eglwys yn yr Oesoedd Canol. Eglurodd fod y Tad yn bwysig mewn cymdeithas yr adeg honno. Gwelodd olwg wag ar wynebau rhai o'r plant, felly holodd beth yw gwaith y Tad heddiw, gan ddweud y 'Tad neu'r Priest', ac enwi'r un lleol.

'Beth ydi'i waith o?' holodd.

'Dreifio minibys,' oedd yr ateb.

* * *

Wrth sôn am arlunwyr enwog roedd athro'n methu cael rhyw lawer gan y dosbarth. Er mwyn hybu'r ymateb, dyma fo'n dweud:

'Beth am yr arlunydd o'r enw Leonardo?'

'O ia,' medda un bachgen, 'Leonardo di Caprio, mi nath o foddi mewn llong.'

Weithiau gall ffordd o ddweud rhywbeth droi'n ddifyrrwch anfwriadol i'r gwrandawr. Roeddwn yn siarad gyda rhywun ym Mhorthmadog ar ddechrau'r haf, ac yn ystod y sgwrs dyma un o lorïau cwmni Hyder yn pasio. Dyma a ddywedwyd wrthyf:

'Mae rheina mewn trwbwl. Wyddoch chi be', yr Americans fydd yn gwneud ein dŵr ni o hyn ymlaen.'

* * *

Does dim blynyddoedd mawr ers bod toiledau tu fewn yn yr ysgolion. 'Slawer dydd roedd y tai bach allan ar yr iard. Pen ucha'r iard oedden nhw – ac roedd iard i'r bechgyn a iard i'r merched. Dyma ferch yn dod mewn un tro a dweud wrtha i fod un o'r bois yn nhŷ bach y merched.

'Pwy yw e te?'

'Wy ddim yn siŵr.'

'Beth ti'n feddwl, ti ddim yn siŵr?'

'Weles i ddim o'i wyneb e.'

Os ydych chi'n cofio, roedd troedfedd dda o fwlch o dan y drws ac uwchben y drws yn y toiledau a dim ond ei draed e roedd hi wedi'u gweld o dan y drws.

Gofynnes iddi shwt oedd hi'n gwbod mai crwt oedd e, a ges i'r ateb fel fflach,

'Roedd 'i draed e'n wynebu'r ffordd anghywir!'

* * *

Fe ofynnes i ryw fam beth oedd hanes ei phlant gan eu bod nhw wedi gadael yr ysgol fach a medde hi,

'Maen nhw'n tyfu'n rhy glou. Maen nhw 'di bennu bod yn blant yn glou iawn.'

'Shwt chi'n gwybod pan maen nhw 'di bennu bod yn blant?'

'Wedi iddyn nhw fennu gofyn i fi o ble daethon nhw, ond yn pallu dweud wrtha i ble maen nhw'n mynd!'

* * *

Roedd yna un athro â'r llysenw Lewis y Goat. Fe fyddai Lewis y Goat yn sgubo i mewn i'r dosbarth yn ei ŵn du â phapurau wedi'u marcio dan ei fraich. Wedyn fe fyddai'n dechrau eu dosbarthu nhw gan wneud sylwadau am bob un, 'Aled Jones 98% – Oxford! Peter Hughes Griffiths 97% – Cambridge!' ac ymlaen felly nes ei fod yn cyrraedd bechgyn y bryniau ar y gwaelod. Ar y gwaelod yn deg roedd yr annwyl Eric Griffiths, Tŷ Hen. Doedd gan Eric ddim diddordeb mewn gwaith ysgol – dim ond mewn barddoni ac adrodd straeon digri. Dyma fe'n stwffio'r papur dan drwyn Eric gan weiddi'n ddig, 'Eric Griffiths – *Naught! Naught* bachgen! *Naught!*'

Ac meddai Eric, *'Mae* **naught** *yn well na dim, syr!'*

Dreifars Bysys

Cwmni bysys enwog yn yr hen sir Gaernarfon yw cwmni Clynnog & Trefor – neu'r Moto Coch, ar lafar gwlad. Mae'n bur debyg mai rhan amser oedd swydd dreifio bws i hogia Trefor. Roedd un cymeriad yn cyfuno ffermio a gyrru. Bu'n gyrru rhwng Pwllheli a Chaernarfon un diwrnod wedi dod yn syth o'r godro heb newid ei ddillad – lle'r oedd yna dalpyn o gachu buwch ar ei ysgwydd a'i gefn drwy'r dydd.

* * *

Arferiad cyson arall gan y gŵr hwn oedd stopio'r bws llawn pobl ar bwys Tyddyn Drain islaw Llanaelhaearn, a bwydo'r ieir oedd ganddo yn y cae dros ffordd.

* * *

Roedd un o'r gyrwyr wedi addo coginio *fry-up* i'r rheolwr a gweddill yr hogiau ar ddiwedd un shifft – er nad oedd erioed wedi coginio o'r blaen. Yn anffodus, roedd wedi prynu ac wedi ffrio mefus yn lle tomatos, gan godi cyfog ar y rheolwr parchus.

* * *

Roedd un dreifar wrthi'n cael cyfathrach â gwraig briod yn y pentref. Pan oedd yr ysfa gnawdol yn drech nag o, buasai'n stopio'r bws tu allan i dŷ ei 'gariad' gan gwyno i'r teithwyr fod yr injan wedi torri. Yn wir, roedd trwsio'r bws i'w weld yn orchwyl mawr yn ei dyb ef. Buasai'n hel pawb oddi ar y bws gan awgrymu'n gryf iddynt gychwyn cerdded tra oedd o yn picio i'r garej i nôl bws arall. Wrth gwrs, wedi i bawb fynd o'r golwg, buasai'r creadur bach yn cnocio ar ddrws ei wraig – ac i mewn â fo am damaid. Wedi rhyw ugain munud dyma'r dreifar hapus allan yn ôl ac yn tanio'r bws, ac i ffwrdd â fo i godi'r teithwyr!

* * *

Un o gymeriadau Caernarfon oedd Wil Seven Bells, gŵr tipyn yn fethedig a fyddai'n mynd o amgylch y Maes ar brynhawn Gwener yn gwerthu y *Caernarfon & Denbigh*. Roedd hen wraig yn disgwyl bws, ac ymysg ei siopa, roedd wedi prynu bwced, a gan ei bod wedi blino, penderfynodd eistedd arni. Daeth Wil heibio a gofynnodd:

'Papur, Mrs?'

Ac atebodd hithau, *'Na, 'mond ista dwi!'*

* * *

Roedd bws mini yr hen bobol wedi aros ar ochr y ffordd am ei bod hi'n ben set ar ryw hen fachgan fynd y tu ôl i'r gwrych.

Ar hynny, stopiodd rhyw gar gyferbyn â'r dyn yn gweiddi ohono,

'Wedi cael damwain ydach chi?'

'*Naci,*' meddai dyn y mini. '*Wedi osgoi un.*'

Dipyn o Job

Yn un o gabanau'r chwarelwyr ym Mhenmachno byddid yn trafod y bregeth bob bore Llun ac os digwyddai rywun regi yn ystod y cyfarfod hwnnw, câi ei hel oddi yno i fwyta ei ginio y tu allan. Un bore Llun yn y gaeaf, pasiodd chwarelwr y caban a gweld ei fab yn bwyta'i frechdanau yn yr oerfel.

'Be wyt ti'n da yn byta'n fan'na?' holodd y tad.

'Wedi cael fy hel allan,' meddai'r mab.

A dyma'r tad i mewn i'r caban yn ei wyllt.

'Be haru chi'r diawlad calon-galad yn hel yr hogyn 'cw allan . . . '

'Ara' deg rŵan John.'

'Blydi byta'i fwyd allan a hitha'n gythreulig o oer . . . '

'Pwyll, John bach.'

'Y diawlad dideimlad. Be wnaeth o i ddarfu ar ych seiat uffarn chi bod rhaid iddo fo gael cic yn ei dîn o'ma?'

'Rhegi wnaeth o.'

Saib.

'*Wel ddim adra ddysgodd o hynny,*' meddai John gan sythu, troi ar ei sawdl a cherdded oddi yno.

Yr hen ffordd o fyw

Pan ddaeth y trydan gynta' i'r Waen Winau roedd pawb wedi cyfareddu. Aeth swyddog o'r Bwrdd Trydan yno i weld sut yr oeddan nhw yn digymod, a galwodd ar Now Trewaen yn ei fwthyn unig.

'Sut yr ydach chi'n licio'r gola' newydd Mr Jones?' gofynnodd.

'Ardderchog,' meddai Now. 'Caffaeliad mawr, wedi newid fy mywyd i. Wyddoch chi be? Does raid i mi ddim palfalu i gael hyd i'r blwch matsus rŵan i danio'r lamp.'

* * *

Torrodd Sais ei rasal pan oedd ar ei wyliau yn Ucheldiroedd Sgotland.

Cynghorwyd ef i gael y gof i'w eillio.

Poerodd y gof ar y brwsh cyn dechrau ar y gorchwyl. Wrth ymadael gofynnodd yr ymwelydd iddo:

'Fyddwch chi'n poeri ar y brwsh bob amser wrth siafio pobl?'

'Na, dim ond i ymwelwyr y bydda' i'n gwneud hynny. Pan ddaw rhywun o'r lle ata' i – poeri ar ei wyneb y bydda' i.'

* * *

Yr oedd Roland Williams, Gerlan, wedi bod yn Lerpwl ar ei wyliau, a thrannoeth yn y chwarel, gofynnodd rhywun iddo:

'Pa beth oedd y rhyfeddod mwyaf a welaist?'

'Wel,' meddai Rolant, 'y peth am synnodd i fwya, oedd clywed plant bach rhyw naw neu ddeg oed yn siarad Saesneg yn rhugl.'

* * *

Roedd Dai a Wil yn mynd mewn awyren am y tro cynta', ac roedd Wil yn nerfus iawn. Meddai Dai wrth Wil,

'Bachan, beth os byddwn ni'n cwympo mas?'

Meddai Wil, 'Paid â siarad dwli, r'yn ni'n ffrindie mawr ers blynydde.'

* * *

Roedd Wil wedi cael pris go dda am werthu llo a dyma fe'n gofyn i Dai ddod i gael pryd o fwyd gyda fe. Ar ôl dod allan o'r lle bwyta, gofynnodd Dai i Wil,

'Roddest ti rywbeth i'r waiter?'

'Naddo,' medde Wil, 'fe fytes i'r cwbwl.'

* * *

Aeth dyn o Garndolbenmaen i dorri ei wallt. Gofynnodd y torrwr faint oedd eisiau ei dorri. Dyma'r ateb:

'*Pob dim ond y clustiau.*'

* * *

Y diweddar Bob Jôs Dafis, Capel Garmon, yn cael torri ei wallt gan eneth ifanc yn Llanrwst.

'Ffor 'da chi'n troi'ch gwallt?'

'*Dwn im, trowch o am Gapel Garmon i'r diawl.*'

* * *

Ym mhen draw Llŷn, yr oedd diwrnod dyrnu yn achlysur i osgoi'r pwdin reis ar un ffarm – am fod baw ynddo fel arfer. Y wraig yn ddynes fudur felltigedig ac yn gweld dim byd o'i le mewn pwdin reis gyda baw ar ei wyneb.

Pan wrthododd un y pwdin, gan gyfeirio at y baw arno, dywedodd y wraig: 'Ti fod i futa hyn a hyn o faw cyn marw.'

Dyma'r ateb yn ôl yn syth:

'*Ddudodd y Bod Mawr ddim fod rhaid i futa fo i gyd efo'i gilydd!*'

* * *

Un tro, trigai gŵr mewn tŷ bychan ar ochr y ffordd i Groesor. Prynodd gloc mawr mewn ocsiwn un diwrnod a'i gario adref. Broliodd y cloc wrth ei wraig, nes i honno ofyn iddo sut roedd am roi y cloc i sefyll, gan fod y nenfwd yn y gegin yn rhy isel. 'Dim problem' oedd yr ateb, ac aeth ati i dorri twll yng nghornel y nenfwd a rhoi'r cloc i sefyll yno. Bu'n brolio lawer gwaith wedyn ei fod yn gallu gweld yr amser ar y cloc pan oedd yn y gegin, a hefyd pan oedd yn gorwedd yn ei wely yn y llofft!

* * *

Aeth gŵr at ddeintydd oedd yn enwog am ei ddawn i ddolurio wrth drin dannedd ei gleifion. Ar ôl iddo fod, gofynnodd ei gyfaill iddo sut hwyl a gafodd:

'Iawn 'tad! Frifodd o ddim arna' i.'

'Taw!'

'Ia, dyma sut y gwnes i. Pan blygodd o uwch fy mhen i a chyffwrdd â'i efail yn fy naint i, dyma fi'n gafael yn ei geilliau fo a deud: *"Rŵan, dan ni ddim yn mynd i frifo'n gilydd yn nachdan?".'*

* * *

Ro'dd Mrs Jones yn hongian dillad ar y lein pan dda'th y weiren yn rhydd. Pwy o'dd yn digwydd pasio ar y pryd ond y gweinidog. A phan welodd fod Mrs Jones yn methu mestyn yn ddigon uchel i glymu dau ben y lein ynghyd, a'th draw ati.

'Gadewch chi bopeth i fi, Mrs Jones,' medde fe. 'Rwy'n dalach na chi. Fe wna i glymu'r lein.'

Ac fe wna'th. A dyma fe'n troi ati ac yn dweud, 'Dyna ni, Mrs Jones. Nawr te, lan â'r dillad 'na!'

A Mrs Jones yn ateb yn swil, *'Diolch yn fawr i chi. Ond, diawl, dim ond pecyn o Wdbein own i wedi bwriadu 'i roi i chi!'*

* * *

Roedd Jack Cowderoy wedi priodi merch leol ac wedi magu teulu Cymraeg. Roedd wedi teithio'r byd, ac mi ddywedodd wrth Lisi un diwrnod, wrth drafod y machlud:

'Do you know, Lisi, there's no twilight in Australia.'

Ymhen dim, roedd Lisi wedi bod o gwmpas yn dweud fod *'Y Jac Cowdiroi 'na yn dweud fod 'na ddim toilet yn Ostrelia!'*

Wedi symud i'r pentref, yr oedd yn cadw at yr hen ffordd o fyw gan gynnwys peidio ymolchi, er fod ystafell ymolchi yn y tŷ. Yn wir, mi fentrodd un cymeriad lleol ofyn iddi:

'Sgynnoch chi ddim drysa yn y tŷ 'cw?'

'Wel oes siŵr iawn, be sy'n gneud iti ofyn cwestiwn mor wirion?'

'O, meddwl y'ch bod chi'n mynd a dŵad drwy'r simna!'

* * *

214

Cymeriad o Ros-lan yn trafod problem llygod mawr gyda rhai o'i ffrindiau.

'Dwi'n gwbod 'i bod nhw'n rhedag o gwmpas y gegin 'cw yn y nos.'

'Be, wyt ti'n i clwad nhw'n rhedag?'

'Na, gweld ôl 'i traed nhw yn saim y badall ffrio!'

* * *

Cymeriad o Abergynolwyn, hen lanc taclus a glân, yn cynnig paned. Roedd y llestri a phob dim arall yn lân a thaclus.

'Helpa dy hun,' oedd y gorchymyn yr hen lanc wrth ei westai. Dyma hwnnw'n estyn y tebot a thywallt. Dim byd yn dod allan. Pan welodd perchennog y tŷ hyn, gafaelodd yn y tebot, rhoi ei big yn ei geg a chwythu, nes oedd sŵn byblo mawr.

'Dyna fo, ma'n iawn rŵan!'

* * *

Cymeriad arall o ardal Bethesda oedd byth yn 'molchi. Mi ddwedodd ei wraig wrth rhywun yn y siop chips ei bod hi'n cadw'r papurau punnoedd mewn lle saff iawn rhag i'w gŵr gael gafael arnynt i'w gwario ar gwrw.

'Wst ti lle dwi'n 'i cadw nhw? O dan y paced sebon yn y cwpwrdd!'

* * *

Roedd gŵr yn curo drysau ym Môn ac yn ceisio atebion i holiadur. Daeth dyn arbennig i'r drws un tro, a rhywbeth fel hyn fu'r sgwrs rhyngddynt:

Holwr: Noswaith dda. Be ydi'ch enw chi?

Dyn: Arfon Huws.

Holwr: Arfon efo 'f' neu efo 'v'.

Dyn: Efo 'A'.

Holwr: Beth ydi'ch dêt of byrth chi?

Dyn: E?

Holwr: Ych dêt of byrth chi, ddyn!'

Dyn: Sori, dwi ddim yn dallt.

Holwr: Pryd mae'ch pen-blwydd chi?

Dyn: Mis Mai.

Holwr: Pa flwyddyn?

Dyn: *Wel, bob blwyddyn . . .*

* * *

Bu Arthur yn yr R.A.F. am gyfnod, a dyma un o'i uwch-swyddogion yn ei yrru i'r pentref i nôl Embasi Coch iddo.

'Os nad oes 'na Embasi Coch – be sy' isio i mi'i brynu?' holodd Arthur.

'Rwbath,' meddai'r swyddog.

Daeth Arthur yn ei ôl efo paced o grisps a phorc pei!

* * *

Gŵr o'r Port yn ffonio'r opyretor o giosg Penmorfa ond roedd hi'n cael trafferth i'w ddeall oherwydd nad oedd o'n siarad yn glir a chan fod yna dipyn o sŵn cefndir.

'Ydi'r drws yn 'gorad gynnoch chi?' holodd hithau.
'Be, ydach chi'n clywad drafft?' meddai yntau.

* * *

Roedd hen wraig wedi prynu rhewgell ac nid oedd yn siŵr beth i'w roi ynddi a beth i beidio. Aeth i weld dyn y siop.
'Deudwch i mi, am faint y dylai cyw iâr bara yn y ffrij 'na?'
'Rhywbeth hyd at ddau fis,' meddai'r dyn.
'Roeddwn i'n amau fod 'na ryw ddiffyg arni,' atebodd hithau. *'Mi rois i geiliog ynddi hi neithiwr ac erbyn y bora 'ma, roedd o wedi marw.'*

* * *

Dywedodd milwr o Stiniog wrth ei fêts adeg y Rhyfel Mawr ei fod newydd gael llythyr gan ei wraig a bod 'na newydd bendigedig ynddo, sef ei bod yn disgwyl plentyn.
'Ond,' meddai un o'i gyfeillion yn betrusgar, 'twyt ti ddim wedi bod adre ers dwy flynedd.'
'Mots am hynny,' oedd ei ateb, *'– mi roedd 'na flwyddyn a hanner rhwng 'y mrawd a finna.'*

* * *

Y golau yn diffodd un noson a'r wraig yn swnian ar y gŵr i roi ffiws newydd yn y bocs. Hwnnw'n agor y drws ffrynt a dweud fod y golau allan yn y pentra i gyd.
'Paid â rwdlan,' medda honno. *'Ma' gola mawr yn y bỳs yna aeth heibio rŵan!'*

* * *

Roedd gan Martha fwstash go drwchus. Doedd hithau ddim yn gwario llawer ar sebon – nac ar ddŵr o ran hynny gan na fyddai'n golchi'r llestri hyd yn oed. Pwysodd ar ddau oedd wedi galw heibio i gymryd te. 'O dim ond paned 'ta,' meddent hwythau, gan ildio yn y diwedd.
Toc, dyma Martha yn ei nhôl o'r gegin efo llond tebot a chydig o lestri te, nad oedd yn sgleinio a dweud y lleiaf. Ar ôl

tollti'r te, dywedodd ei bod yn mynd i roi mwy o ddŵr poeth yn y tebot 'rhag ofn y bydd rhywun isio ail baned'. A dychwelodd i'r gegin.

Mentrodd un o'r gwesteion godi cwpan yn y diwedd. 'Wn i, mi yfa' i hon o'r ochr draw,' meddai gan droi y cwpan a'i ddal yn ei law chwith, fel ei fod yn yfed o'r ochr lle na bu'r mwstash ar ei gyfyl.

Dyma Martha yn ôl o'r gegin a sylwi arno:

'Wel, pwy fasa'n meddwl – llaw chwith ydach chi yr un fath â fi!'

* * *

Gwraig o'r ardal wedi bod yn siopa yn y dre ac yn diswyl bỳs ar y Maes hefo llond ei haffla.

Mi gofiodd yn sydyn ei bod wedi anghofio mynd i'r *ironmonger*.

Ffwrdd â hi ar frys i'r siop a gofyn i'r dyn,

'Ga' i drap llygod bach os gwelwch yn dda. *'Dwi isho dal dybl-dec!'*

218

Hogia Talysarn wedi mynd i weld gêm bêl-droed yng Nghaerdydd.

Gwraig y gwesty'n gofyn iddyn nhw os oeddan nhw wedi trafaelio'n bell.

'*All the way from Wales,*' meddai'r hogia.

Dawn Dweud ac Ateb Parod

Mae ffraethineb yr ateb parod yn elfen gyfoethog iawn o hiwmor y Cymry.

Dywediad gwych am rhywun sydd braidd yn ddi-fflach a difywyd – *'Mae o fel cannwyll mewn drafft!'*

* * *

Am ddynes hoff o benwaig:
'Mae wedi bwyta cymaint ohonyn nhw, mae'i bol hi'n mynd i mewn ac allan efo'r llanw.'

* * *

Am gael arian gan gybydd:
'fel trio cael cerrig o din cranc.'

* * *

Dywediad o'r Rhos am rywun crintachlyd:
'Hyd yn oed 'tae ganddo fo lond ei fol o wynt, fasa fo ddim yn rhoi rhech iti.'

* * *

Difrïo rhywun drwy ddweud ei fod wedi cael joban sâl:
'Mae o'n gweithio yn y siop jiwalar yn ll'nau cachu o dan y clociau gwcw.'

* * *

Dyn o'r Port yn sôn am aelod o'i deulu:
'Mae o mor arw nes ei fod o'n rhoi fforc yn y fowlen siwgwr yn lle llwy!'
Ac am aelod arall o'r teulu:
'Fasat ti'n rhoi darn punt mewn bar o sebon mi fydda fo'n 'molchi drwy'r dydd i gael gafael arno fo.'

* * *

Roedd un wedi'i blesio'n arw ym maint y stecen mewn lle bwyta arbennig yng ngorllewin Cymru. O gofio bod lorïau anferth y cwmni o sir Benfro i'w gweld yn gyson ar ffyrdd yr ardal, doedd ryfedd iddo ei disgrifio drwy ddweud:

    'Roedd hi fel mydfflap Mansel.'

* * *

Roedd gennyf gefnder a chanddo draed yn pwyntio tuag allan. Pan safai roedd ei draed fel bysedd cloc am ddeg munud i ddau.

Ar ganol ffordd yn Llandegla cyfarchodd rhywun ef fel hyn:

'I ble'r wyt ti'n mynd efo'r traed dal marblis'ne?'

* * *

Un nos Sul roedd Dic Rees, Pennal, a Dai Llanilar yn canu yn Neuadd Albert ac wedi ymddangos ar y teledu. Y bore wedyn roedd i lawr yn y pentre, a phwy welodd yno ond Stephen y Felin.

'Diawl, Dai,' medde fe, 'fe wnes i joio dy weld ti a dy glywed ti ar y telifision neithiwr.'

'Diolch,' atebodd Dai.

'A diawl, Dai, roeddet ti'n edrych yn smart. Roeddet ti'n rial gŵr bonheddig yn dy got-cachu-trwyddi.'

* * *

Yr oeddwn yn digwydd bod yn Cwics un diwrnod ac yn siarad gyda gŵr lleol. Roedd hwnnw newydd godi paced o ham o'r silff a dyma fo'n ei ddangos i mi gan ddweud:

'Esu, ma' nhw 'di torri hwn yn dena', 'does 'na ond un ochor i bob sleisan!'

* * *

Roedd Sais wedi symud i'r ardal ac yn plagio'r brodorion gyda'i wfftio parhaus at dermau swyddogol Cymraeg a welai ar ffurflenni ac arwyddion ffyrdd. Doedd y Gymraeg, meddai, yn ddim ond addasiad o'r Saesneg.

Un diwrnod, mi glywodd un o'i gymdogion yn trafod rhyw broblem oedd ganddo yn y Gymraeg.

'There you are!' meddai'r imperialydd yn fuddugoliaethus, gan stwffio'i drwyn i mewn i'w sgwrs. *'You didn't have a Welsh word for "problem" until we came here.'*

Trodd y Cymro ato a'i daro gyda'r lein:

'Listen, we didn't have a problem until you came here.'

* * *

Aeth heddwas i dŷ cyngor yng Nghaernarfon i adrodd cwyn am un o'r plant.

'Blydi hel, fela maen nhw,' meddai'r ddynas ddaeth i drws. *'Blydi plant 'ma. Tro nesa bydda i'n priodi, dwi am briodi dyn heb goc.'*

* * *

Roedd Lloyd George oedd yn annerch cyfarfod cyhoeddus yng Nghonwy os cofiaf yn iawn. Roedd ar ganol ei berorasiwn Home Rule i bob gwlad pan waeddodd heclwr 'A Home Rule i Uffern'. Ac fel saeth meddai L.G., *'Mae'n dda gen i weld dyn yn sefyll dros ei wlad.'*

* * *

Flynyddoedd yn ôl, fe gafwyd stori ym mhapur y *Sun* am ryw ficer ym Meirion a oedd yn y broses o gael ysgariad oddi wrth ei wraig. Ond ar ddiwrnod yr achos a fyddai'n sicrhau ysgariad iddynt, fe wnaethon nhw benderfynu mynd yn ôl i fyw gyda'i gilydd. Ar y noson pan oedd y stori yn y papur roedd Jac y Wyddor yn yfed yn y Rhiw Goch. Yno, wrth y bar, roedd Americanwr yn brolio bendithion ei wlad. Ac fe gafodd Jac lond bol ar hyn a dweud wrtho fod Cymru yn llawer gwell gwlad na'r America. Fe ddechreuodd y dyn ddadlau'n ôl:

'Nonse. We Americans have got a man on the moon.'

Ond fe atebodd Jac e fel ergyd o wn:

'That's nothing, we've got a vicar in the Sun!'

* * *

Gwraig ifanc: 'Sebon fydda' i'n ei iwsio i rwystro fy sana' rhag rhedeg.'

Gwraig ifanc arall: *'Sebon fydda' i'n ei iwsio i gael rhai newydd.'*

* * *

Mewn gornest wist yn Garn un tro roedd yna brinder dynion. Y drefn arferol yw cael 'ladies' a 'gents' (fel y dywedir ar lafar) er mwyn cael partneri i bob bwrdd. Gan fod yna brinder dynion, gofynnodd y trefnydd i un hen wag:

'Newch chi chwara' ledis heno?'

'Gwna'n Duw,' oedd yr ateb, *'dwi 'di hen arfer chwara' rheini dros y blynyddoedd.'*

* * *

Aeth merch ifanc i siop i brynu rhuban. Dangosodd y llanc y tu ôl i'r cownter wahanol fathau iddi.

'Faint ydi hwn?' gofynnodd hi gan bwyntio at un ohonyn nhw.

'Cusan y llath,' atebodd yntau.

'Mi gymra' i chwe llath,' meddai hithau, *'ac mi ddaw Nain yma fory i dalu.'*

* * *

Daeth gŵr o ogledd Cymru i fyw yng Nghwm Tawe flynyddoedd yn ôl. Yn fuan wedi iddo symud i'w gartref newydd gwelodd fod rhywbeth o'i le ar un o'r drysau. Galwodd am wasanaeth saer a oedd yn frodor o'r ardal.

'Be sy'n bod?' gofynnodd y Deheuwr.

'Mae yma ddrws sy'n cau ac agor,' atebodd y gŵr o'r Gogledd.

Edrychodd y saer arno'n syn, *'Wel, dyna beth yw gwaith drws yntefe? – cau ac agor!'*

* * *

Nid oedd Joni Wilson, Pentrefoelas yn hoff o siafio nac yn rhyw hoff iawn o folchi. Unwaith bob pythefnos fydde hynny yn digwydd. Roedd sêl ddefed yn y cae gerbron y tŷ lle'r oedd yn byw ac roeddem yn cario coed tân ar y gornel uchaf. Dywedodd Joni wrthyf: 'Weli di'r tri acw yn cynffona i Capten fel gwenyn rownd pot jam.' Aethom â'r coed at ei dŷ i'w dadlwytho a phwy basiodd ond y tri oedd wedi eu gweld hefo Capten ynghynt ac medde un yn ddigon sbeitlyd wrth basio:

'Am dân heno, Joni? A dŵr poeth i gael bath?' Ateb Joni yn syth oedd: *'Waeth paint o faths ga' i fyddai ddim mor lân a thîn Capten ar ôl ichi o'ch tri fod yn ei lyfu trwy'r pnawn myn diawl.'*

* * *

Un tro tua diwedd y dauddegau roedd criw o sipsiwn yn mynd drwy bentre Llanbedrog, Llŷn gyda'u ceffylau a'u wagenni. Mae allt go serth yn y pentref ac oherwydd yr ymdrech cafodd un o'r ceffylau ei weithio, er mawr lawenydd i berchennog un o'r tai a welai ei hun yn cael riwbob gwerth chweil yr haf wedyn. Rhuthrodd i'r lôn hefo rhaw dân a chario'r llanast stemllyd i'r ardd.

Bore wedyn digwyddodd godi'n gynnar ac edrych tua'r cwt ieir. Beth welai ond hen jipsan yn dod o'r cwt a llond ei hafflau o wyau. Rhuthrodd allan i'w hatal a chael ateb gwreiddiol iawn.

'Mi gefaist ti gachu o din fy ngheffyl i, felly mae'n iawn i minnau gael rhywbeth o din dy ieir dithau!'

* * *

Roedd un o drafaelwyr Oel Morus Ifans, yr oel hwnnw oedd yn 'dda at bob dim' yn medru'i deud hi.

Roedd y gwerthwr arbennig hwn yn moli'r cynnyrch wrth ryw wraig fferm un tro ac meddai yn drawiadol dros ben:
'Mae hwn yn oel ardderchog at wella pob math o friwiau a thoriadau ar y croen – *rhowch beth ohono ar dwll ych tin cyn mynd i'r gwely yn y nos, a fydd gennoch chi ddim byd ond craith ar ôl erbyn y bore!'*

* * *

Cymeriad yn un o bentrefi Llŷn yn reidio beic bob amser heb olau. Y plismon lleol yn penderfynu ei ddal un noson a chuddio yn y pentref i aros amdano.

Wrth ddod i'r pentref dyma'r cymeriad yn dod i gyfarfod un o'i gymdogion a hwnnw'n dweud fod y plisman yn ei aros.

Dyma'r cymeriad yn dod oddi ar ei feic ac yn cario'r beic drwy'r pentref.

Dyma'r plismon yn ei stopio gan ofyn:

'Lle mae dy olau di?'

A'r ateb:

'Does dim eisiau golau ar barsal!'

* * *

Roedd Jac Zac yn enwog am ei ateb ffraeth ar strydoedd Llanrwst.

Bu'n gweithio i'r cyngor lleol am gyfnod, yn sgubo'r ffyrdd ac ati, a sgwrs rhwng fforman y cyngor a Jac yw nifer o'r straeon sydd amdano. Câi Jac Zac ei ddal yn gwneud pob math o bethau yn ystod ei oriau gwaith. Roedd yn hoff iawn o ddenig i gefn siop Jones & Bebb, haearnydd a werthai ddeunydd adeiladu yn ogystal. Byddai nifer o grefftwyr a labrwyr yn fan'no bob adeg a digon o hwyl ar y sgwrs. Dyma'r fforman yn ei ddal un tro:

'Be wyt ti'n 'i 'neud fa'ma, Jac?' Ond fel arfer, roedd Jac yn barod â'i ateb:

'O, pen y brwsh 'ma oedd wedi dod i ffwrdd – ac mi ddois i i fa'ma i'w drwsio fo.'

Chydig ddyddiau wedyn, cafodd Jac ei ddal gan y fforman yn yr un fan unwaith eto.

'Be sy' tro 'ma Jac? Pen y brwsh wedi dod i ffwrdd eto?'

Ond doedd dim curo ar Jac:

'Naci, ei goes o ddaeth yn rhydd tro 'ma.'

Dro arall roedd Jac wedi sleifio i siop barbwr i gael torri'i wallt. Fe'i daliwyd eto gan y fforman.

'Be ddiawl ti'n 'neud, Jac – yn torri dy wallt yn ystod oriau gwaith fel hyn?'

'Wel, yn ystod oria' gwaith y tyfodd o ynte?'

Sylwodd un arall bod 'na ddau dwll ym mhen y brwsh bras a ddefnyddiai Jac.

'I be sydd isho dau dwll?' holodd yn glyfar.

'Wel, un i'r goes siŵr Dduw,' meddai Jac, **'a'r llall i'r gannwyll pan fydda' i'n gweithio'n nos.'**

Diawl y Wasg

Mae pob argraffydd ym mhob tref yng Nghymru yn ceisio ei orau glas i gael testun glân yn y gwaith gorffenedig a ddaw drwy'i beiriannau. Ond yn anffodus, mae 'diawl y wasg' mor brysur ag erioed yn cyfnewid llythrennau a chreu cawlach cyson:

Ymhlith y dodrefn a losgwyd yn y tân yr oedd cadair Sheraton a **hwrdd** o'r ail ganrif ar bymtheg.

* * *

Yn ôl y diffynnydd, roedd wedi amau ei gŵr pan ddaeth **cŵn** rhyfedd o'r stafell wely.

* * *

Bob nos byddai'n dringo i ben y **wraig** fel y gallai fwynhau'r olygfa islaw.

* * *

Roedd cant o lo yn cael ei roi fel gwobr mewn raffl ac am y tro cyntaf erioed penderfynwyd argraffu'r tocynnau yn Gymraeg yn ogystal. Dyma sut yr ymddangosodd y wobr:

1 CWT COAL / 1 CWT GLO

* * *

Bu'n **caru** gyda'r rhan fwyaf o brif gantorion y byd.

* * *

Enillodd **foron** yn Eisteddfod Genedlaethol ddwy flynedd yn olynol.

* * *

Dywedodd y beirniad nad oedd erioed wedi cael gwell **cawr** i'w flasu.

* * *

Ychwanegodd fod pob **bardd** yn rhoi gwell cynnyrch ar ôl derbyn llwyth o ddail.

* * *

Roedd yn dad i chwe mab a phum **march**.

* * *

Wrth bregethu, byddai bob amser yn mynd i hwyl a chodi ei **bais**.

* * *

'Os oes ganddoch ddiddordeb gweld beth sydd ar gael dewch draw am dro, neu os ydych yn aelod o glwb neu gymdeithas **dew** yn griw am y prynhawn!' meddai Ann (perchennog bwyty).

* * *

Hysbyseb yn *Y Drych*, papur Cymry America a hwnnw'n rhifyn arbennig i ddathlu'r Gymanfa Ganu:

PROTHEROE FABRICS
wish the Cymanfa Ganu
all the best
'Cenwch yn **llafur** i'r Arglwydd'

* * *

Nodyn yn y golofn farwolaethau yn y *Daily Post* yn cyhoeddi bod hwn a hwn:
' . . . *decreased* last Monday, October . . . '
Mae'n rhaid ei fod yn fwy rhydiog a chrychiog na'r cyffredin!

* * *

Cam argraff arall – rhywun yn hysbysebu noson Nadoligaidd gan ddweud bod 'paned a *mice pies*' yn dilyn yr adloniant.

* * *

Hysbyseb papur newydd, yn holi am wraig.
FFERMWR MYNYDDIG
EISIAU
GWRAIG **FYNYDDIG**
Wrth chwilio am wraig gwnewch yn siŵr eich bod chi'n cael hyd i un ddigon mawr!

* * *

Nid ar lafar yn unig y mae geiriau'n cael eu gwyrdroi – mae camargraff mewn cyhoeddiadau yn rhywbeth cyffredin. Dyma gasgliad a gafwyd gan wahanol gylchoedd llenyddol yn y gogledd dros y gaeaf diwethaf.

Pan fu farw blaenor sych-dduwiol, llwyrymwrthodwr rhonc yn hen gapel y Kings Cross, Llundain, roedd rhaid chwilio am wasg i argraffu taflen trefn y gwasanaeth. Mae argraffwyr Cymraeg yn bethau prin iawn yno ac wrth gwrs bu rhaid chwysu cryn dipyn wrth gywiro llu o wallau yn y proflenni. Cafwyd copi go lân yn y diwedd, ond yng ngwasanaeth coffa'r gŵr titotal, yn lle canu:
'Mae'n hyfryd meddwl ambell dro
Wrth deithio anial le . . . '
canwyd:
'Mae'n hyfryd **meddwi** ambell dro . . . '

* * *

Roedd adran addysg gorfforol ysgol uwchradd yng Ngwynedd yn hysbysebu am aelod newydd at eu staff a dyma'r hysbyseb a ymddangosodd yn y papurau newydd:

YN EISIAU

ATHRAWES **GORFFOROL**

* * *

Cwmni o werthwyr peiriannau amaethyddol yn hysbysebu peiriant hau hadau gwair ym mhapur *Y Seren* yn y Bala gan orffen gyda'r slogan hwn:

'Dylai pob amaethwr bwrcasu un o'r peiriannau hyn os am groen newydd ar ei **din**.'

* * *

Nid ychwanegwyd rhyw lawer at linell fawr Alan Llwyd wrth ei chamgysodi fel hyn un tro ychwaith:

Ym môn ei **thin** Mynytho.

* * *

Adroddodd y Parch. Huw Jones hanes pâr oedrannus o Ben-y-groes yn mynd i Lerpwl i dderbyn Medal Gee wedi 83 mlynedd o ffyddlondeb i'r Ysgol Sul. Wedi iddynt ddychwelyd i Ben-y-groes, fe'u hanrhegwyd gan eu cydaelodau yn y dosbarth lleol yn ogystal. Anfonodd yntau adroddiad i'r *Herald* ond dyma'r frawddeg a ymddangosodd:

'Yna, wedi iddynt ddychwelyd i Ben-y-groes, fe'u **rhegwyd** yn ychwanegol gan eu cyd-aelodau yn y dosbarth lleol.'

* * *

Hysbyseb a welwyd mewn papur newydd yn ddiweddar:
'Hers Bedford 1935 mewn cyflwr ardderchog, gyda'r **corff** gwreiddiol.'

* * *

Dau wall a welid yn aml yn yr hen rifynnau o'r *Radio Times* oedd:

Boreol Weiddi yn lle 'Boreol Weddi'.

a

odan fola Nan Davies yn lle 'o dan ofal Nan Davies'.

* * *

Helo Bobol, 21.1.84

Bwydlen Gŵyl Dewi yn cychwyn â 'Cawl **Lennin**'!

* * *

Richard Llwyd Jones yn *Y Cymro* 21.2.84.

'Ym myd pêl-droed, mae'r Gynghrair **Siriol** wedi troi ei sylw at bêl-droed ymysg yr ieuanc.'

* * *

Yn *Y Cyfnod*, papur y Bala, gwelwyd yr hysbys canlynol i ginio Sul y Mamau yn Neuadd y Cyfnod:

'Tafell o **gic** eidion Cymreig.'

* * *

. . . ac mae gwasanaeth trenau'r Cymoedd yn cynnig 'Gwasanaeth **llaw**' yn ôl eu hysbys nhw. Handi iawn!

* * *

Ar dudalen Merched y Wawr yn *Y Garthen*, mis Chwefror 1999 caed adroddiad ar noson goffi gynhaliodd Merched Pencader a'r Cylch i ddathlu pen-blwydd y gangen yn 30. Ond os mai noson goffi oedd hi'n swyddogol, nid dyna oedd pawb yn yfed:

'Roedd y byrddau yn llwythog efo mins peis a chacennau bach, ynghyd â the, coffi a *gwirodydd ysgafn i'r plant*.'

Maen nhw'n dweud fod yr hen blantos yn edrych ymlaen yn eiddgar at y parti hanner canmlwyddiant . . .

* * *

Mae rhai crefyddwyr yn credu mai ganddyn nhw y mae'r gwirionedd. Yn ôl Blwyddlyfr Henaduriaeth Llŷn ac Eifionydd, bydd pregethwr yng nghapel Chwilog eleni o'r enw:

Dafydd **Iawn**.

* * *

Yn *Yr Utgorn*, hen bapur yn ardal Pwllheli, roedd adroddiad am storm yn Llŷn. Roedd llong wedi suddo ac roedd y tonnau wedi bod yn rhy beryglus i gychwyr y bad achub lleol fentro i'r heli. Y gwir, yn ôl y papur fodd bynnag, oedd hyn:

'*Yn anffodus, methodd y* **cachwyr** *â mynd allan . . .*'

* * *

Mae ambell anffawd yn digwydd wrth osod teip ar gyfer taflenni priodas weithiau. Ar ddiwedd y gwasanaeth, ceir '*Wedding March*' yn gyfeiliant i ymdaith y pâr priod allan o'r capel neu'r eglwys. Camgymeriad un argraffydd ym Mhwllheli oedd rhoi'r drol o flaen y ceffyl gan ei sillafu fel **Bedding** *March*.

* * *

Mae'n bosib cael creision hefo pob math o flasau gwahanol heddiw – o gor-gimwch i facwn, ac o sôs coch i gyw-iâr. Fodd bynnag, mae un cwmni, sef Bensons, wedi cynhyrchu creision hefo blas unigryw – ac nid yn unig hynny, maen nhw hefyd yn greision dwyieithog! Gan obeithio denu'r Cymry i fwyta rhagor o'u cynnyrch, mae'r cwmni wedi dechrau marchnata eu creision dan yr enw '*Dragon*' hefo llun y ddraig goch yn amlwg ar y paced ac mae'r holl fanylion, yn cynnwys y gwarant a'r cynhwysion yn ddwyieithog. A'r blas ecsotig sydd y tu mewn? Wel, yn Saesneg '*Cheese and Onion flavour*' ydyn nhw – ond yn Gymraeg 'Blas **Cas** a Nionod' ydyn nhw! Cofiwch chi, fel y dywedodd un prynwr craff, efallai eu bod yn llygad eu lle . . .

* * *

Roedd pwyllgor wedi'i sefydlu yn yr ardal i wneud dipyn o waith ymchwil i'r posibiliadau o ddenu gŵyl genedlaethol i'r fro. Rhestrwyd y pwysigion parchus oedd wedi'u hethol arno yn y papur lleol – yn feiri ac yn seiri, yn gynghorwyr ac yn bwyllgorwyr, yn brifathrawon ac yn weinidogion. Roedd y rhain i gyd, yn ôl yr adroddiad, wedi'u hethol ar y *pwyllgor chwil.*

* * *

Yn y *Chronicle*, sillafwyd un pentref yng Nghlwyd gyda'r llafariad anghywir ac mae'n siŵr bod rhai yn meddwl am y lle bach hwnnw lle y byddai'r papur yn hongian drannoeth pan welsant y pennawd:

SYCHTIN

* * *

Roedd Steddfod Powys yn yr ardal ac roedd cyfarchiad yn rhan o seremoni'r orsedd. Ond yn y papur, soniwyd am *'gyfarthiad y derwydd gweinyddol'.*

* * *

Arwydd yn *Safeways*, Caernarfon:
'Prynwch Nwyddau Safeways
Mae gwarant dwbwl ar ein holl **nwydau**.'

* * *

Hysbyseb yn y Sutton Herald:
Ar werth. Cyllell garfio drydan.
Newydd sbon. Pris £4. **Teganau plant eraill** *ar gael yn ogystal.*

* * *

- Rhan o gyfanrwydd bywyd gwerin yw'r stori werin. Er bod y gwaith hwn yn astudiaeth o straeon ardal arbennig, rhan o unoliaeth traddodiad ehangach ydyw. Wrth astudio penillion, chwedlau neu gredoau tueddwn i'w casglu a'u

dosbarthu heb gofio eu bod i gyd yn rhan annatod o ddull cyfan o fyw. Methwn yn aml weld bod y rhannau yn llifo i'w gilydd yn naturiol fel na allai'r naill fyw heb y llall.

- Penderfynodd John Owen Huws gasglu, cofnodi a mynegeio straeon rhyddiaith ysgrifenedig a llafar Ardal Eryri. Pwrpas hyn oedd ceisio gweld a yw'r traddodiad adrodd straeon llafar wedi goroesi i chwarter olaf yr ugeinfed ganrif mewn ardal oedd gynt yn nodedig am ei straeon. O ganiod bod y traddodiad yn parhau, gwnaeth arolwg o'i natur yn y fro honno.

- Dymuniad John oedd cyflwyno ffrwyth ymchwil ei draethawd academaidd i'r cyhoedd – mewn gwisg fwy poblogaidd na'r tair cyfrol clawr caled sydd mewn llyfrgelioedd dethol. Wrth ddathlu canfed rhifyn Llafar Gwlad a pharhad cyfres Llyfrau Llafar Gwlad, mae'n addas ein bod yn ceisio gwireddu'r amcan honno ar ei ran.

GWASG CARREG GWALCH

Llafargwlad

cylchgrawn gwerin gwlad

£1.50

REBECA

Dinistriwyd Giât y Bolgoed gan Ferched Beca dan eu harweiniad Daniel Lewis yn Gorffennaf dod 1843.

The Bolgoed toll gate was destroyed on the 6th July 1843 by the Daughters of Rebecca led by Daniel Lewis.

Rhifyn Dathlu'r 100:

Dathlu gwlad a threftadaeth

ISSN 1356-377-100

CYLCHGRAWN LLÊN GWERIN POBLOGAIDD

Y cylchgrawn ar gael drwy'r post drwy danysgrifio
£8 am bedwar rhifyn y flwyddyn. I gael ffurflen cysylltwch â:
Gwasg Carreg Gwalch, 12 Iard yr Orsaf, Llanrwst,
Dyffryn Conwy LL26 0EH Ffôn: 01492 642031

 GWASG CARREG GWALCH